Sir Arthur Conan Doyle

SHERLOCK HOLMES

O Signo dos Quatro

da letra

SIR ARTHUR CONAN DOYLE

SHERLOCK HOLMES

O SIGNO DOS QUATRO

Capítulo 1
A ciência da dedução

Sherlock Holmes pegou seu violino e ajeitou-o no ombro. Com seus dedos longos e ágeis, começou a tocar mais uma vez aquelas notas melancólicas e deprimentes.

Eu testemunhava esse ritual havia meses, durante todo o dia. Aquilo já estava me deixando louco. Holmes era um excelente violinista e, quando estava deprimido, ficava improvisando melodias tristes que acabavam com o bom humor de qualquer um. Queria falar com ele para saber o motivo de tanta lamentação. Meu amigo, no entanto, demonstrava um ar distante e indiferente, que não encorajava ninguém a tomar a liberdade de opinar sobre a sua vida. Seus dons espetaculares, sua atitude possessiva e suas qualidades incríveis me amedrontavam sem que eu sentisse a liberdade de confrontá-lo.

Mesmo assim, naquela tarde, em um ímpeto nervoso eu gritei:

— O que é afinal? Ninguém aguenta mais isso! Até os ratos já se mudaram!

Ele então ergueu os olhos para mim.

— Minha mente rebela-se contra a estagnação. Dê-me problemas, trabalhos, qualquer coisa. Mas não me deixe no horror da rotina da vida. Necessito de excitação mental, por isso escolhi essa profissão. Ou melhor, criei-a, pois sou único no mundo.

— O único detetive particular?

— O único detetive particular consultivo — disse ele. — Sou a mais alta corte de apelações. Eu examino as informações como perito e digo minha opinião. Não levo crédito algum. Meu nome não aparece nos jornais. Minha recompensa está no próprio trabalho. Você mesmo já teve a oportunidade de testemunhar meus métodos no caso Jefferson Hope.

— É verdade — concordei amigavelmente. — Nunca algo me impressionou tanto, até descrevi esse caso num pequeno volume que nomeei *Um estudo em vermelho*.

Holmes balançou a cabeça desanimado.

— Dei uma olhada. Honestamente, não o parabenizo por isso. Você tenta romancear as histórias produzindo o mesmo efeito de uma história de amor ou de perseguição.

— Mas o romance estava lá. Eu não podia alterar os fatos.

— Alguns fatos deveriam ter sido omitidos, meu caro Watson. A única coisa que merecia atenção naquele caso era o raciocíonio análitico ao qual ele foi submetido e pelo qual ele foi desvendado.

Fiquei muito aborrecido com mais essa crítica de um trabalho no qual minha intenção era apenas agradá-lo. Confesso também que seu egocentrismo me irritava muito. Durante os anos em que convivi com Holmes na Baker Street, pude perceber que ele era extremamente vaidoso. Todavia, não disse nada para ele. Apenas sentei-me para descansar.

— Recentemente atendi clientes no continente — disse Holmes enquanto fumava seu cachimbo. — Fui consultado por François de Villard, que, talvez você saiba, tem se destacado muito na polícia francesa. O caso em que ele estava debruçado se relacionava a um testamento e tinha algumas características interessantes. Estabeleci o paralelo desse caso com outros dois, um em Riga, 1857, e outro em St. Louis, 1871, o que o conduziu à solução. Veja a carta de agradecimento que recebi esta manhã.

Quando terminou de falar, ele jogou sobre mim o papel com diversas expressões em francês, todas atestando a enorme admiração do homem por Holmes.

— Ele fala como um aluno que se dirige ao mestre — disse eu.

— Ah, ele considera muito a minha ajuda — disse Sherlock Holmes com indiferença. — Ele, por si só, tem bastante talento. Possui duas das três qualidades necessárias para o detetive perfeito. Tem o poder de dedução e observação. Só lhe falta conhecimento, mas o tempo se encarregará de lhe entregar isso. Agora mesmo ele está traduzindo meus trabalhos para o francês.

— Seus trabalhos?

— Ah, você não sabia. Sou responsável por várias monografias de assuntos técnicos. Por exemplo, esta: "Identificação das cinzas de diferentes tipos de charutos". Nela eu enumero cento e quarenta tipos de charutos, cigarros e fumos para cachimbo, com ilustrações coloridas que mostram claramente as diferenças entre as cinzas. Se for possível, em um caso de assassinato, determinar que o assassino fumava um charuto indiano, já se eliminam inúmeras possibilidades.

— Você tem uma capacidade extraordinária de observar detalhes — disse eu.

— Dou muito importância a eles. Esta outra monografia é sobre o levantamento de pegadas, com algumas observações sobre o uso de gesso para sua preservação. Esse é um assunto muito interessante para detetives que precisam identificar criminosos também. Mas deixe para lá, estou aborrecendo-o com minhas manias.

— De forma alguma — respondi com sinceridade. — O assunto me interessa muito, principalmente depois que eu eu pude observar sua aplicação na prática. Certamente está tudo ligado.

— Raramente estão ligadas — respondeu Holmes recostando-se de forma preguiçosa sobre a cadeira. — Por exemplo, a observação me mostra que você esteve na agência de correios da rua Wigmore pela manhã, mas a dedução me diz que você foi enviar um telegrama.

— Certo nas duas! Mas confesso que não entendo como você chegou a essa dedução. Tive o impulso de passar esse telegrama hoje pela manhã e não comentei com ninguém.

— Tudo é muito simples. Vejo que você tem terra vermelha no sapato; em frente à agência da rua Wigmore, quebraram a calçada e cavaram de tal maneira, que é impossível não pisar nela para entrar no correio. Essa terra tem uma coloração vermelha que, pelo que eu saiba, não tem em outro lugar aqui perto. Até aqui foi observação.

— Certo, e como você deduziu sobre o telegrama?

— Ora, já sei que você não escreveu nenhuma carta, pois ficamos juntos pela manhã. Vi também em sua escrivaninha um maço grosso de cartões-postais. Por qual outro motivo então você iria ao correio se não fosse para enviar um telegrama? Elimine todos os outros fatores, o que sobrar é a verdade.

— Entendi. Nesse caso foi simples. Você se incomodaria se eu testasse suas habilidades de forma mais séria?

— Pelo contrário, isso evita que eu volte para o meu violino e o irrite novamente.

— Já ouvi você dizer que nos objetos de uso diário as pessoas deixam marcas que um observador experiente é capaz de ver. Agora, veja, tenho aqui um relógio que ganhei. Você faria a gentileza de me dar sua opinião sobre o antigo dono deste relógio?

Entreguei-lhe o relógio na expectativa de que ele não conseguisse resolver o problema e eu pudesse lhe dar uma lição dogmática.

Holmes sentiu o peso do relógio em sua mão, observou-o atentamente, abriu a traseira, examinou o mecanismo, primeiro com os olhos e, depois, com a ajuda de sua poderosa lupa. Quase não contive o riso quando ele, desanimado, fechou e me entregou o relógio.

— Há poucas informações aqui. O relógio foi limpo recentemente, o que dificulta ver os fatos mais sugestivos.

— Você está certo! Foi limpo antes de ser enviado a mim.

— No entanto, embora insatisfatório, meu exame não foi de todo inútil. Corrija-me se eu estiver errado, mas acredito que esse relógio pertenceu a seu irmão mais velho e foi dado a ele por seu pai.

— Isso você concluiu a partir das iniciais no verso?

— Exatamente. O W sugere o seu próprio nome. As

datas no relógio são de cerca de cinquenta anos atrás, e as iniciais demonstram também serem antigas, o que me mostra que esse relógio vem de uma geração anterior. As joias normalmente ficam para o irmão mais velho, e, provavelmente, ele possuía o mesmo nome do pai. Se bem me lembro, seu pai já morreu há vários anos. Portanto, o relógio estava com seu irmão mais velho.

— Até aí está certo. Algo mais?

— Ele não era um homem cuidadoso, para melhor dizer, era um homem desleixado e descuidado. Começou a vida bem provido, mas desperdiçou as oportunidades, vivendo na pobreza por alguns períodos com intervalos de prosperidade. Finalmente caiu na bebida e morreu. Isso é tudo o que eu posso dizer.

Levantei-me num pulo e fiquei andando pela sala. Aquilo doía por dentro.

— Isso é baixo até para você, Holmes. Foi vasculhar a vida de meu irmão e agora quer me dizer que deduziu tudo isso a partir deste relógio.

— Meu caro Watson, por favor, aceite minhas desculpas. Mas afirmo a você que não sabia nada sobre seu irmão até você me entregar esse relógio.

— Então me diga, como chegou a tais conclusões? Estão todas absolutamente corretas.

— Ah, foi sorte. Fui avaliando as probabilidades, mas assumo que não esperava tamanha precisão.

— Não foi apenas adivinhação?

— Nunca faço adivinhações. Esse é um hábito terrível que destrói a capacidade lógica de qualquer um. Siga a minha cadeia de raciocínios. Ao observar a parte inferior da caixa, pude perceber que está toda amassada e arranhada, como se fosse guardada em um bolso com chaves e outras coisas. A partir daí, podemos perceber que quem guarda um relógio desse, dessa forma, não é alguém cuidadoso. Também não é forçar demais concluir que alguém que recebe algo tão valioso de herança esteja bem provido em outros aspectos.

Concordei com a cabeça mostrando que seguia seus raciocínios.

— É costume das casas de penhor da Inglaterra escrever o número do cliente com um alfinete na parte de dentro do relógio. Nesse relógio tem uns quatro números. Conclusão: seu irmão vendeu e recuperou o relógio várias vezes, ou seja, passou por períodos de prosperidade e de pobreza. Finalmente, peço que observe o buraco da chave. As chaves de um homem sóbrio teriam produzido essas marcas? Contudo, os relógios de alcoólatras sempre possuem essas marcas, pois estes, quando dão corda à noite, deixam esses traços das suas mãos trêmulas. Onde está o mistério?

— É claro como a luz do dia. Desculpe-me tê-lo colocado nessa situação constrangedora. Posso lhe perguntar se você está em alguma investigação profissional no momento?

— Nenhuma! E é daí que vem minha depressão. De que adianta ter habilidades como as que tenho e não poder usá-las? Todo o resto é banal!

Estava abrindo a boca para lhe responder quando a nossa funcionária entrou dizendo que havia visita.

— Uma jovem quer ver o senhor, o nome dela está neste cartão — disse ela a Sherlock.

— Miss Mary Morstan – disse Holmes lendo no cartão.
— O nome não me diz nada. Peça à jovem que suba, Mrs. Hudson. Não se vá, doutor. Prefiro que fique.

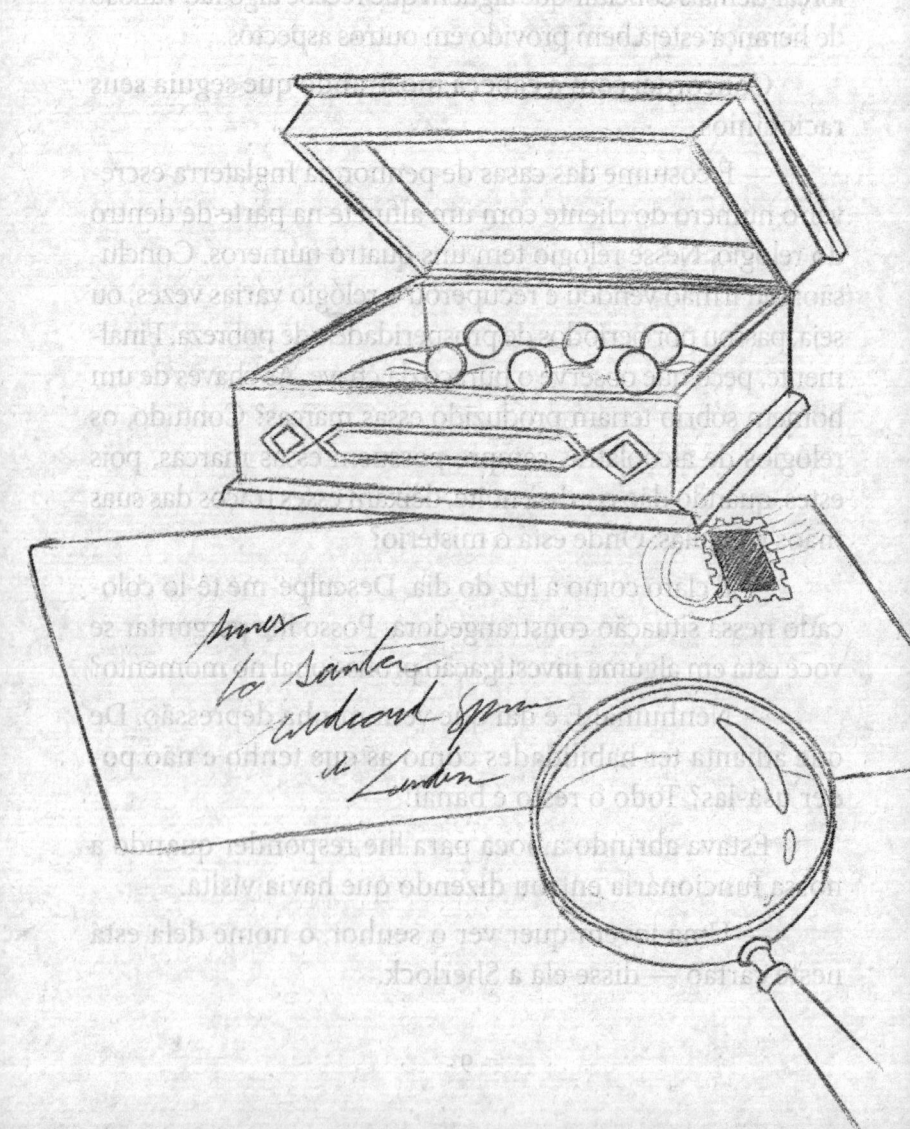

Capítulo 2
A declaração do caso

Miss Morstan entrou na sala andando com firmeza e demonstrando muita segurança. Era jovem, loira, pequena e elegante, usava luvas e vestia-se muito bem. Contudo, suas roupas eram de uma simplicidade que sugeria certa limitação de recursos. Era impossível não notar que, ao sentar-se na cadeira indicada por Sherlock Holmes, suas mãos e seus lábios tremiam muito, dando sinais de uma intensa agitação.

— Venho procurá-lo, Mr. Holmes, pois uma vez você ajudou a minha patroa, Mrs. Cecil Forrester, a desvendar um probleminha doméstico. Ela ficou muito impressionada com a sua gentileza e sensibilidade, por isso me indicou você.

— Mrs. Cecil Forrester — repetiu Holmes com ar pensativo. — Eu me recordo de tê-la ajudado, mas foi um caso muito simples se não me engano.

— Ela não pensa assim. Mas o senhor não poderá dizer o mesmo do meu problema. Não consigo imaginar algo mais estranho do que a situação na qual me encontro hoje.

Holmes estava radiante, com seus olhos brilhantes, e seu rosto assumiu uma expressão de extrema concentração.

— Conte-me o caso — disse ele.

— Queiram me desculpar — disse eu levantando-me da cadeira.

Para minha surpresa, a jovem ergueu a mão impedindo-me de sair.

— Se o seu amigo puder ficar, talvez possa me prestar um serviço inestimável.

Voltei para minha cadeira no mesmo instante. Miss Morstan continuou:

— Resumindo, o que acontece é o seguinte: meu pai servia como oficial num regimento indiano e me mandou para a Inglaterra ainda criança. Minha mãe morreu, e, como não tinha parentes por aqui, fui para um abrigo em Edimburgo, onde permaneci até completar 17 anos. Em 1878, papai, que era capitão de seu regimento, conseguiu uma licença e veio para casa. Ele me mandou um telegrama de Londres dizendo para eu me encontrar com ele no hotel Langham. Lembro-me de que sua mensagem era plena de bondade e amor. Chegando a Londres, dirigi-me ao Langham, onde me informaram que o capitão Morstan não estava hospedado, mas que saíra na noite anterior e não retornara. Naquela noite, seguindo os conselhos do gerente do hotel, procurei a polícia e, na manhã seguinte, anunciei nos jornais. Nossos esforços foram em vão e, desde então, nunca soube mais nada sobre meu pai.

— Quando foi isso? — perguntou Holmes abrindo seu caderno de notas.

— Ele desapareceu dia 3 de dezembro de 1878, quase dez anos atrás.

— E a bagagem?

— Ficou no hotel, mas não havia pistas que pudessem nos indicar algo.

— Possuía amigos em Londres?

— Somente um, o major Sholto, ele morava em Upper Norwood, mas não sabia nada sobre seu antigo colega de regimento.

— Um caso singular — observou Holmes.

— Ainda não lhe contei a parte mais singular. Há cerca de seis anos, para ser exata, em 4 de maio de 1882, foi publicado um anúncio no *Times* solicitando o endereço de Miss Mary Morstan e dizendo que seria de seu interesse apresentar-se. O anúncio não trazia nenhum nome ou endereço. Na época, eu tinha acabado de ser contratada por Mrs. Cecil Forrester como governanta. Seguindo o conselho dela, publiquei meu endereço na seção dos classificados. No mesmo dia, recebi uma caixa de papelão naquele endereço. A caixa continha uma pérola enorme, brilhante, mas nada escrito. Desde então, todos os anos, na mesma data, recebo uma pérola semelhante, sem qualquer pista quanto ao remetente. Um perito declarou que elas são raras e muito valiosas, vocês mesmos podem constatar que elas são muito bonitas.

Enquanto falava, ela abriu uma pequena caixa e nos mostrou as joias.

— Seu depoimento é muito interessante. Aconteceu-lhe mais alguma coisa? — perguntou Sherlock Holmes.

— Sim, e foi hoje mesmo. Por isso vim procurá-lo. Recebi esta carta, talvez o senhor queira ler.

— Obrigado. Dê-me o envelope também. Selo de Londres, sudoeste, data de 7 de julho, um polegar masculino neste canto, provavelmente do carteiro, e papel da melhor qualidade. Homem de bom gosto com papelaria, sem dúvida.

Holmes leu a carta em voz alta:

Esteja na terceira coluna a partir da esquerda em frente ao teatro Lyceum esta noite, às dezenove horas. Se estiver desconfiada, traga dois amigos. A senhorita foi prejudicada e obterá justiça. Não traga a polícia ou colocará tudo a perder. Seu amigo secreto.

Depois de ler a carta, Holmes encarou Miss Morstan e lhe disse:

— Bem, realmente, trata-se de um mistério. O que quer fazer Miss Morstan?

— É exatamente o que eu lhe pergunto.

— Então devemos comparecer. Eu, a senhorita e o Dr. Watson. Seu amigo secreto fala em dois acompanhantes.

— Mas o senhor faria isso?

— Se eu for útil, será uma honra e satisfação.

— Vocês são muito gentis — respondeu aliviada. — Levo uma vida retirada e não tenho muitos amigos. A que horas devo estar aqui, às seis está bom?

— Não se atrase então — respondeu Holmes. — Mais uma coisa, a letra da carta é a mesma das caixas de papelão?

— Tenho-as aqui — respondeu mostrando alguns pedaços de papel.

— A senhorita é uma cliente modelo! Deixe-me ver...

Sherlock Holmes espalhou os pedaços de papel sobre a mesa observando-os atentamente.

— A letra está disfarçada, a não ser na carta. Mas não

há dúvidas quanto à autoria. Vejam como o "e" grego é concluído, e como o "o" termina em uma volta. Foram escritos pela mesma pessoa. Não quero lhe dar falsas esperanças, Miss Morstan, mas existe alguma semelhança desta caligrafia com a de seu pai?

— Nada poderia ser mais diferente.

— Imaginei que fosse dizer isso. Bem, ficamos esperando-a então. Até mais tarde. Permita-me ficar com os papéis para estudar o caso.

Pela janela, fiquei observando a mulher descer as escadas, andar pela rua e sumir na multidão.

— Que mulher atraente! — exclamei virando-me para meu amigo.

— É mesmo? Não reparei.

— Você é realmente uma máquina. Às vezes existe até algo desumano em você, meu amigo.

Ele sorriu ligeiramente.

— É de suma importância que nosso julgamento não seja distorcido por realidades externas. Para mim, um cliente é apenas uma unidade, um problema. Qualidades emotivas não combinam com raciocínio claro. Saiba que a mulher mais encantadora que já conheci foi enforcada por envenenar três pobres criancinhas. E o homem mais feio que conheço é um filantropo que já gastou perto de duzentos e cinquenta mil libras com os pobres de Londres.

— Nesse caso, todavia...

— Não abro exceções, meu caro. Uma exceção contradiz a regra. Você já estudou personalidade através da caligrafia? O que lhe diz a letra desse homem?

— É bem legível e regular — respondi. — Um homem de hábitos profissionais e personalidade forte, eu presumo.

Holmes balançou a cabeça.

— Veja as letras ascendentes — disse ele. — A escrita reflete uma certa indecisão. Contudo, preciso fazer algumas consultas, vou sair. Deixo você com este livro incrível, veja: **O martírio do homem**, de Winwood Reade. Estarei de volta em meia hora.

Sentei-me à janela com o livro. Mas não estava nem um pouco atento a ele, não conseguia parar de pensar em nossa última visitante. Seu sorriso, o tom de seus lábios e os mistérios que pairavam em sua vida. Se ela tinha 17 anos quando seu pai sumiu, tinha hoje 27, idade maravilhosa, exuberante juventude. Continuei sentado e, quando vi, já estava lendo o manual de patologia indicado a mim por Holmes. Afinal, o que eu, um cirurgião do exército com a perna machucada, fazia pensando naquela jovem. Tinha que parar e enfrentar a dura realidade que me cercava.

Capítulo 3
Em busca de respostas

Eram cinco e meia quando Holmes finalmente retornou. Estava alegre e animado, com excelente disposição. Esse estado se alternava com as mais profundas crises de depressão.

— Não existe mistério nesse caso, os fatos apontam para uma só direção.

— O quê? Já encontrou a solução?

— Bem, dizer isso já seria demais. Descobri um fato sugestivo, e isso é tudo. Mas é muito sugestivo. Ainda precisamos de detalhes. Consultando o arquivo do *Times*, descobri que o major Sholto, de Upper Norwood, morreu em 28 de abril de 1882.

— Não consigo entender o que existe de relevante nisso.

— Não? Você me surpreende, Watson. Veja, o capitão Morstan desaparece. A única pessoa que ele poderia ter visitado em Londres seria o major Sholto. Este nega ter recebido notícias de que Morstan estava na cidade. Quatro anos depois, Sholto morre. Em menos de uma semana, a filha do capitão Morstan recebe um valioso presente, que se repete nos anos seguintes. Agora, temos uma carta que se refere a ela como uma mulher prejudicada. Qual prejuízo pode ser senão a privação do pai? E por que os presentes começaram imediatamente após a morte de Sholto? A não ser que o herdeiro deste saiba alguma coisa do mistério e deseja compensar a moça, você vê alguma outra relação entre esses fatos?

— Que compensação estranha! E a forma como foi feita! Por que escrever essa carta só agora e não há seis anos? Que justiça ela pode obter? Supor que seu pai esteja vivo já é demais. Não há outra injustiça no caso dela que nós saibamos.

— Existem dificuldades, mas nossa missão hoje à noite irá nos ajudar. A carruagem está chegando trazendo Miss Morstan. Vamos logo!

Peguei o chapéu e minha bengala mais pesada. Reparei que Holmes pegou seu revólver e colocou-o no bolso. Ele esperava que nossa noite pudesse ser perigosa. Miss Morstan vestia uma capa escura e seu rosto, embora pálido, estava sereno. Ela não seria uma mulher normal se não sentisse um pouco de aflição em relação à missão para a qual estávamos partindo. Mesmo assim, seu autocontrole era perfeito e ela respondia às perguntas de Holmes com precisão.

— O major Sholto era amigo pessoal de papai. Suas cartas sempre faziam alusão a ele. Os dois estavam no comando das tropas nas ilhas Andamã. Assim, estavam frequentemente juntos. A propósito, na escrivaninha de meu pai, foi achado um papel estranho que ninguém conseguiu entender. Achei que você gostaria de ver, aqui está.

Holmes desdobrou o papel e alisou-o sobre o joelho. Então, de forma metódica, examinou-o com a lupa.

— Trata-se de um papel indiano. Já esteve pregado num quadro. Existem essas quatro cruzes desenhadas que parecem hieróglifos. Ao lado está escrito: "O Signo dos Quatro, Jonathan Small, Maomé Singh, Abdullah Khan, Dost Akbar". Não, confesso que não vejo como isso possa se relacionar com o caso; entretanto, trata-se de um documento importante, pois foi guardado dentro de uma agenda. Veja que os dois lados estão limpos.

— Foi achado na agenda de meu pai mesmo.

— Guarde-o com cuidado então. Ainda pode ser útil.

Holmes recostou-se no banco e percebi que ele raciocinava intensamente. Eu e Miss Morstan conversávamos em voz baixa sobre nossa missão e seus possíveis resultados. Nosso companheiro, contudo, manteve seu silêncio até o fim da nossa viagem.

Era uma noite de setembro e ainda não eram 7 horas. Mas o dia fora sombrio e um denso nevoeiro cobria a cidade. Nuvens cor de barro desciam sobre ruas enlameadas. Os postes de iluminação pareciam manchas. Aquela noite estava estranha e fantasmagórica. Miss Morstan se mostrava aflita e eu também. Somente Holmes se mostrava acima de tudo isso. Ele ficou com seu caderno de anotações e, de vez em quando, tomava notas e escrevia números auxiliado pela sua lanterna.

No teatro, o público já era grande nas entradas laterais. Mal chegamos à terceira coluna, um homem se aproximou.

— Vocês são os acompanhantes de Miss Morstan?

— Eu sou Miss Morstan e esses são meus amigos — disse a moça.

O homem cravou os olhos fixamente em mim e em meu companheiro.

— A senhorita vai me desculpar, mas peço que me confirme que nenhum de seus acompanhantes é um oficial de polícia — disse o homem, bravo.

— Dou-lhe a minha palavra quanto a isso.

Rapidamente ele deu um assobio e uma carruagem parou ao nosso lado. Fomos convidados a entrar e depressa partimos em direção ao desconhecido. Miss Morstan demonstrava um ar de calma e seriedade. Tínhamos boas hipóteses para achar que assuntos importantes seriam levantados em nossa jornada. A princípio, eu ainda tinha alguma noção da direção em que estávamos indo, mas a neblina e a velocidade em que íamos logo me fizeram perder a noção de aonde estávamos sendo levados. Holmes, contudo, não se perdia, seguia murmurando o nome das ruas e praças pelas quais íamos passando.

— Nossa jornada não está nos levando a lugares muito elegantes — disse Holmes.

Quando chegamos, o bairro era realmente duvidoso e de má fama. Casas sombrias, bares nas esquinas, mais casas sombrias. A carruagem parou em frente à terceira casa de um quarteirão. Quando batemos à porta, ela foi aberta por um funcionário hindu, com roupas brancas folgadas, faixa amarela na cintura e um turbante também amarelo em sua cabeça.

— O mestre os espera.

Ao mesmo tempo em que ele disso isso, ouvimos uma voz alta e aguda vinda de alguma outra sala:

— Traga-os aqui, criado! Traga-os imediatamente até mim.

Capítulo 4
O homem calvo

Seguimos o indiano por um corredor imundo, mal iluminado e com mobílias horrendas. Chegamos a uma porta à direita, que ele abriu. No meio dessa sala iluminada, estava um homenzinho com uma faixa de cabelos ruivos ao redor de uma enorme careca. Ele estava ali, de pé, esfregando às mãos e sorrindo ou fazendo caretas, mas suas feições nunca repousavam. A natureza dera-lhe um lábio pendente e uma dentição amarela horrorosa. Apesar de sua careca, parecia ser jovem, por volta dos trinta anos.

— Queiram entrar no meu santuário. Um oásis no meio da melancólica zona sul de Londres.

Ficamos espantados com o quarto. Ele destoava do resto da casa como um diamante numa lata metálica. As cortinas e os tapetes eram dos tecidos mais finos, as belas paredes eram adornadas por obras de arte maravilhosas. Aquela forte imponência do luxo oriental estava naquele cômodo. Uma luminária pendurada com formato de pomba estava sobre a sala, suspensa por um fio de ouro quase invisível. O enorme narguilé exalava um perfume agradável. O homem estava coberto por duas peles de tigre exalando imponência.

— Mr. Thaddeus Sholto — disse o homenzinho. — Este é o meu nome. A senhorita é Mary Morstan, e esses cavalheiros...

— Sherlock Holmes e Dr. Watson — apresentou ela.

— Dr., é? — perguntou o homem. — Se incomodaria de escutar meu coração? Tenho minhas dúvidas sobre uma das válvulas, sabe como é, né?

Ouvi seu coração, como me pediu, mas não encontrei nada de errado, a não ser que ele parecia apavorado, pois tremia dos pés à cabeça.

— Parece normal, não há motivo para se preocupar — disse eu.

— Desculpe minha ansiedade, Miss Morstan. Tenho sofrido há tempos com essa válvula. Ter um médico aqui foi algo inusitado, não pude me conter. No entanto, foi bom saber que eu não tenho nada sério. Se o seu pai, Miss Morstan, não tivesse abusado do coração, ainda estaria vivo.

Tive vontade de lhe dar um soco por tamanha insensibilidade ao falar sobre o pai da moça, que ficou mais pálida e se sentou imediatamente.

— No fundo eu sabia que ele estava morto — disse ela.

— Posso lhe contar tudo. E mais, posso fazer-lhe justiça, e farei, apesar do que meu irmão Bartholomew possa dizer. Enfim, não vamos misturar as coisas. Podemos resolver tudo entre nós sem interferências.

— De minha parte, o que me contar não sairá daqui. — disse Holmes.

Eu acenei que concordava.

— Muito bem — continuou. — Espero que vocês não se incomodem com o fumo, estou um pouco nervoso e considero meu narguilé um excelente sedativo.

Ele aproximou a vela do vaso e começou a fumar. Sentamos os três em um semicírculo observando nosso anfitrião fumando.

— No começo, quando resolvi entrar em contato com a senhora, pensei em dar o meu endereço, mas temi que ignorasse o meu pedido e viesse em companhia de pessoas desagradáveis. Por isso, tomei a liberdade de organizar esse encontro, e enviei meu funcionário, Williams, para que pudesse vê-los antes. Se ele desconfiasse de algo, saberia que não os deixaria vir até aqui. Vocês me desculpem essas precauções, mas levo uma vida afastada, de hábitos requintados, e não há nada pior do que um policial nesse caso. Mantenho distância de todas as formas de grosseria. Eu gosto de viver numa atmosfera de elegância. Aprecio bastante a escola moderna francesa.

— Perdoe-me, senhor Sholto — interrompeu-o Miss Morstan –, mas vim a seu pedido e quero saber o que tem para me contar. Já é tarde e gostaria que essa reunião terminasse o quanto antes.

— Infelizmente ela vai demorar para terminar, pois teremos que ir a Norwood falar com Bartholomew. Devemos ir todos juntos para convencê-lo. Ele está bravo comigo porque fiz as coisas de um jeito que não lhe pareceu certo. A senhorita não pode imaginar como ele fica quando está nervoso.

— Se devemos ir a Norwood, é melhor que saiamos logo — aventurei-me a dizer.

O indiano começou a rir até ficar vermelho.

— Não será possível. Imagino o que ele diria se eu os levasse de forma tão repentina. Devo prepará-los contando o papel da cada um nesse enredo. Em primeiro lugar, preciso alertá-los de que eu mesmo não conheço diversas coisas sobre essa história. Só posso expor os fatos da forma como os conheço.

"Meu pai, como vocês podem imaginar, era o major John Sholto, do exército indiano. Ele veio morar na Mansão Pondicherry há onze anos, em Upper Norwood. Ele fez uma fortuna na Índia e trouxe consigo uma soma considerável de dinheiro. Com esses recursos ele comprou a casa e viveu com muito luxo. Meu irmão gêmeo e eu éramos seus únicos filhos.

Lembro-me bem da sensação que o desaparecimento do capitão Morstan causou. Lemos todos os jornais e procuramos informações sobre o grande amigo do papai. Ele participava das especulações sobre o que poderia ter acontecido. Nunca, nem por um instante, suspeitamos de que ele sabia o segredo do destino de Arthur Morstan.

Sabíamos que algum perigo rondava a vida de meu pai. Ele tinha medo de sair sozinho e usava dois lutadores profissionais como porteiros da mansão Pondicherry. Williams, que trouxe vocês nesta noite, era um deles. Ele já foi campeão de peso-leve na Inglaterra. Contudo, papai não nos contava o que temia; sabíamos apenas que ele tinha uma estranha aversão a doentes com perna de madeira. Em certa ocasião, ele atirou em um homem com perna de madeira. Foi preciso pagar uma grande quantia de dinheiro para abafar esse assunto. Eu e meu irmão achávamos que essa era uma simples mania de nosso pai, mas acabamos mudando de opinião.

No começo de 1882, papai recebeu uma carta da Índia que o deixou profundamente chocado. Ele quase desmaiou na mesa do café da manhã quando abriu a carta. Daquele dia em diante, sua saúde só piorou até sua morte. Nunca suspeitamos do que dizia a carta. Quando os médicos nos avisaram que a morte de papai estava próxima, ele quis nos dizer suas últimas palavras.

Assim que entramos em seu quarto, ele sentou-se na cama com muita dificuldade, pediu que trancássemos a porta e nos disse:

'Tenho somente uma coisa que me pesa na consciência no fim de minha vida. É o que tenho feito à pobre órfã do Morstan. A maldita ganância foi o meu pecado durante a vida. Estão vendo aquela grinalda de pérolas? Mesmo daquilo não consegui me desvencilhar. Vocês, meus filhos, irão dar a ela uma parte do tesouro de Agra. Mas não lhe mandem nada até que eu morra.

Vou lhes contar como Morstan morreu. Há anos ele sofria do coração, o que escondia de todos. Somente eu sabia. Na Índia, nós nos apossamos de um tesouro. Eu o trouxe para a Inglaterra e, na mesma noite em que ele chegou, Morstan veio pedir sua parte. Morstan e eu tínhamos opiniões diferentes em relação à divisão do tesouro. Logo, começamos a discutir de forma acalorada. Num ataque de ira, ele ficou pálido e, com a mão no peito, caiu no chão. Ao cair, bateu a cabeça na quina da caixa do tesouro. Quando me debrucei sobre ele, desesperado, ele já havia morrido.

Durante um bom tempo fiquei pensando no que deveria fazer. Meu primeiro impulso foi pedir ajuda, mas eu seria acusado de assassinato. A morte durante uma discussão, o ferimento na cabeça, tudo apontava contra mim. Morstan me disse que ninguém sabia de sua vinda, logo aquilo não seria um problema a ninguém.

    Eu ainda pensava no que fazer quando meu criado entrou e disse: 'Mestre, vamos escondê-lo, eu ouvi a briga, sei que você o matou!'. E eu disse: 'Não, eu não o matei!', mas meu criado não acreditava em mim. Com isso pensei que, se nem ele acreditava, imagine as autoridades! Nós então nos livramos do corpo naquela noite.

    Na manhã seguinte, os jornais só falavam sobre o desaparecimento de Morstan e nada mais. Meu erro foi não só ter escondido o corpo, como também ter ficado com a parte de Morstan do tesouro. Desejo, portanto, que vocês façam a restituição. Aproximem os ouvidos de minha boca. O tesouro está escondido...'

    No momento em que ele começou a falar, seu rosto foi se retorcendo com ar de espanto e desespero. Ele gritava: 'Tirem ele dali! Tirem ele dali!'. Voltamos-nos para olhar na escuridão e vimos uma pessoa nos observando. Era um rosto que mostrava perigo. Nós corremos até a janela, mas, ao chegarmos lá, ele já tinha fugido. Quanto voltamos para perto de meu pai, ele estava morto.

    Procuramos pelos arredores naquela noite, mas não encontramos nada. Pela manhã, o quarto de papai apareceu todo revirado, janelas abertas, caixas, gavetas, tudo havia sido mexido. Em cima do peito de papai encontramos um pedaço de papel com a expressão 'O Signo dos Quatro' rabiscada sobre ele. Nada havia sido roubado nem mexido, mas nós associamos esse episódio com o medo que já acompanhava meu pai havia anos, e até hoje para nós se trata de algo desconhecido."

Nesse instante, o homem parou para fumar seu narguilé e ficou pensativo. Nós três estávamos absolutamente chocados com a história do moço. Sherlock Holmes recostou-se na cadeira pensativo, enquanto eu e Miss Morstan tomamos um copo d'água. Thaddeus Sholto olhava para nós com ar de orgulho pelo impacto que a sua história havia nos causado.

Então, ele continuou:

— Vocês podem imaginar como eu e meu irmão ficamos. Durante semanas cavamos cada centímetro do jardim, sem descobrir nada. Era enlouquecedor pensar que meu pai estava prestes a revelar o esconderijo quando morreu. Nós deliramos só de imaginar o valor das joias que estariam guardadas lá. Só pela grinalda que fomos incubidos de entregar à Miss Morstan já podíamos vislumbrar a grande riqueza detrás do tesouro. Meu irmão, no entanto, sofria do mesmo problema de meu pai e não queria entregar à moça aquilo que havia sido pedido a nós. Ele tinha medo que isso causasse um alvoroço tão grande, que os segredos começassem a surgir. Depois de muito falar, consegui convencê-lo a enviar as pérolas separadas, uma a uma, uma vez por ano, para que, pelo menos, ela não passasse dificuldade.

— Foi uma ideia interessante e bondosa da sua parte — disse a moça com olhar agradecido.

O homenzinho protestou com a mão.

— Nós já tínhamos bastante dinheiro. Eu não desejava mais. Além disso, seria péssimo tratar uma moça com tanta avareza, entretanto meu irmão não pensava dessa forma. Então eu saí da Mansão Pondicherry levando o velho criado e

Williams comigo. Ontem, porém, aconteceu algo de extrema importância. O tesouro foi descoberto. Por isso me comuniquei imediatamente com Miss Morstan para que possamos ir até lá reclamar a nossa parte. Já avisei meu irmão, que está a par de que nós iremos até lá.

Thaddeus Sholto terminou sua fala e sentou-se no sofá luxuoso. Holmes prontamente se levantou.

— Fez muito bem desde o começo — disse Holmes. — Talvez seja possível que nós venhamos a esclarecer alguns pontos com você, mas, como Miss Morstan bem pontuou, já está tarde e é melhor partirmos.

Nosso novo conhecido se agasalhou deixando apenas seu rosto de fora.

— Minha saúde é frágil — observou ele enquanto nos dirigíamos para o corredor. — Preciso me cuidar muito bem!

A carruagem estava à nossa espera do lado de fora. A viagem já estava armada, pois o motorista partiu no momento em que entramos no carro. Thaddeus Sholto falava sem parar num tom de voz tão alto, que mal podíamos ouvir o som das rodas.

— Bartholomew é muito esperto — disse ele. — Como vocês acham que ele descobriu o tesouro? Ele permaneceu na casa e vasculhou cada canto possível, descobrindo que, no pé direito, havia uma parte faltando. Ao vasculhar o forro sobre o telhado, encontrou o tesouro. Ele disse que dentro da arca deve haver joias no valor de mais ou menos meio milhão de libras.

Ao ouvirmos essa quantia enorme, nos entreolhamos absurdamente chocados. Se aquilo fosse verdade, Miss Morstan passaria de governanta necessitada para a herdeira mais rica da Inglaterra toda. É horrível dizer, mas senti na hora certa inveja da moça, que, de um momento para outro, tornava-se milionária sem ter feito nada para isso. Thaddeus Sholto falava sem parar e contava sobre seus sintomas e infindáveis remédios de que fazia uso. Para meu alívio, ouvi o som das rodas da carruagem parando e, rapidamente, o motorista estava abrindo a porta.

— Esta, Miss Morstan, é a Mansão Pondicherry — disse Thaddeus Sholto ajudando a moça a descer.

Capítulo V
A tragédia da Mansão Pondicherry

Já era perto das onze horas da noite quando chegamos à parte final de nossa aventura noturna. Um vento quente soprava no local e o céu estava carregado de nuvens. Apesar da claridade do local, Thaddeus Sholto pegou uma lanterna e seguiu iluminando nosso caminho.

A mansão Pondicherry ficava numa região isolada e era cercada por um alto muro de pedras repleto de cacos de vidro nas beiradas. Nosso novo amigo nos guiou até uma pequena porta de metal pela qual entramos na enorme mansão.

— Quem é? — gritou de dentro uma voz rude.

— Sou eu, McMurdo. Esperava que você conhecesse a batida já.

— Mr. Thaddeus? Mas quem são os outros? Não tenho ordens para recebê-los.

— Tem certeza? Na noite passada eu avisei meu irmão que traria alguns amigos aqui hoje!

— Seu irmão não saiu do quarto hoje. Eu não recebi ordem alguma. Tenho que seguir as regras. Você pode entrar, mas seus amigos ficam onde estão.

— Mas que inconveniente! Não vou deixar uma moça sozinha na rua a essa hora da noite, McMurdo!

— Sinto muito, Mr. Thaddeus, eu não os conheço e não os deixarei entrar. Recebo ordens claras do meu patrão e obedeço a elas fielmente.

— Ah, sim, você conhece! — exclamou Sherlock Holmes. — Não acredito que se esqueceu de mim. Não acredito que você se esqueceu do amador que lutou com você no ringue há alguns anos naquela exibição beneficente.

— Sherlock Holmes! Bom Deus, como posso não tê-lo reconhecido? Se, em vez de ficar quieto no seu canto, você tivesse me dado aquele velho e bom cruzado no queixo, eu saberia logo que era você. Podem entrar, você e seus amigos! Sinto muito, Mr. Thaddeus, mas as ordens são claras, preciso conhecer as pessoas para deixá-las entrar.

Atravessamos o caminho de pedregulhos até chegar à enorme casa no fundo do terreno. A imensidão da construção em meio a um silêncio mortal era algo tenebroso. Até mesmo Thaddeus parecia incomodado, pois a lanterna tremia em suas mãos.

— Não consigo entender! Deve haver algum engano, eu disse claramente a Bartholomew que estaríamos aqui hoje — disse Thaddeus.

— Ele sempre mantém a casa guardada desse modo? — perguntou Holmes.

— Sim, ele segue as manias de nosso pai. Ele era o filho predileto, às vezes até acho que meu pai contou mais coisas a ele do que a mim. Aquela janela é a do seu quarto, mas não há luz dentro, pelo que vejo.

— Realmente, não há — disse Holmes. — Mas vejo uma pequena luz na janela ao lado da porta.

— É o quarto da governanta, Mrs. Bernstone. Talvez ela possa esclarecer o que está acontecendo. Espero que vocês não se incomodem de esperar aqui, acho melhor eu entrar sozinho para não assustá-la. O que foi isso?

Ele ergueu a lanterna com a sua mão trêmula enquanto o círculo de luz tremulava ao nosso redor. Miss Morstan segurou firme em meu pulso e ficamos todos com os corações batendo fortemente tentando ouvir algo ao nosso redor. Da casa, ouvíamos o choramingar de uma mulher assustada exalando um som triste e lamentoso.

— É a senhora Bernstone! Ela é a única mulher dentro da casa. Esperem aqui. Eu já volto! — disse Thaddeus.

Ele correu para a porta, e batendo com força. No mesmo instante, uma mulher veio e abriu.

— Oh, Mr. Thaddeus! Que bom vê-lo por aqui. Estou feliz de ver o senhor!

Thaddeus entrou pela porta enquanto nós aguardávamos do lado de fora. Ele havia nos deixado a lanterna. Holmes observava tudo de forma atenta. Miss Morstan e eu ficamos juntos, de mãos dadas. Lá estávamos nós, sem nunca ter nos visto antes, de mãos dadas apoiando um ao outro. Aquilo me dava uma sensação de proteção e conforto. Assim permanecemos com paz em nossos corações, apesar do terrível mistério que nos rondava.

— Que lugar mais estranho! — disse ela olhando em volta. — Parece que todas as toupeiras da Inglaterra foram soltas aqui!

— Vi algo parecido na encosta de uma montanha em Ballarat, onde os mineiros escavavam. É por isso que sei que esses buracos são indícios de caçadores de tesouros, que há seis anos procuram por ele — disse Holmes.

Então, a porta da casa se abriu e Thaddeus veio correndo com os braços estendidos e os olhos aterrorizados.

— Há algo de errado com Bartholomew! — gritou ele. — Estou muito assustado! Minha saúde não aguenta isso!

— Vamos entrar! — disse Holmes com seu jeito ríspido e firme.

— Sim, por favor! — pediu Thaddeus. — Não sei que atitude tomar!

Todos entramos atrás dele no quarto da governanta. A velha senhora também estava muito assustada e terrivelmente agitada. Contudo, ao ver Miss Morstan, ela pareceu se acalmar.

— Graças a Deus eu posso ver um rosto delicado e calmo! — gritou soluçando. — Ver a senhorita me faz muito bem. Como este dia foi difícil!

Nossa companheira pegou a mão da velha senhora e a confortou com algumas palavras. Isso foi ajudando-a a se recuperar.

— O patrão está trancado dentro de casa há muito tempo! Às vezes ele faz isso, pois gosta de ficar sozinho, mas nunca por tanto tempo. Há cerca de uma hora, comecei a temer que algo ruim pudesse estar acontecendo, então fui espiar pelo buraco da fechadura. Vi Bartholomew com uma cara tão assutadora, como nunca vira antes. Vocês deviam ir lá ver com os próprios olhos.

Sherlock Holmes pegou a lanterna e foi na frente. Thaddeus estava com seu corpo repleto de medo e terror. Por duas vezes, Sherlock Holmes pegou sua lupa para examinar marcas na passadeira. Fomos subindo as escadas lentamente, pé ante pé. Miss Morstan ficou aguardando com a governanta amedrontada no andar de baixo. O terceiro lance de escada levava a um corredor longo e estreito, com um quadro feito com tapeçaria indiana no final e três portas à esquerda. A terceira porta era a que buscávamos. Holmes bateu na porta, mas não obteve resposta. Holmes se abaixou para olhar pelo buraco e, quando se levantou, sua face estava repleta de terror.

— Há algo diabólico aqui, Watson!

Olhei pelo buraco e me encolhi horrorizado. Lá estava o mesmo rosto de nosso novo amigo Thaddeus, tudo era idêntico: a cor do cabelo, os traços, a altura, tudo. A única diferença é que a expressão no rosto de dentro do quarto era horrenda.

— É terrível! — disse a Holmes. — O que faremos?

— Vamos derrubar a porta! — respondeu Holmes lançando-se contra ela.

Ela rangeu, mas não caiu. Nós dois nos lançamos contra ela e, com um estrondo, ela cedeu. Lá estávamos nós no aposento de Bartholomew Sholto.

A sala parecia um laboratório químico. Cheia de tubos de ensaio e bicos de Bunsen. Nos cantos havia garrafas enormes com ácido dentro de cestas de vime. Além disso, o ar estava com um cheiro particularmente forte. Acima de nós, o teto exibia uma abertura enorme, grande o suficiente para dar passagem a um homem. Ao pé dos degraus havia uma corda comprida.

Junto à mesa estava o dono da casa, com a cabeça caída sobre o ombro esquerdo e aquele sorriso fantasmagórico no rosto. Estava imóvel e frio; com certeza havia morrido havia várias horas. Parecia que todos os seus membros estavam retorcidos. Próximo de sua mão, estava um instrumento estranho, um bastão marrom, com uma cabeça de pedra amarrada na ponta, como se fosse um martelo. Ao lado, havia um pedaço de papel com algumas palavras rabiscadas. Depois de ler, Holmes passou para mim.

— Veja! — disse ele erguendo as sobrancelhas.

À luz da lanterna eu li com um arrepio de horror:

— "O Signo dos Quatro". Em nome de Deus, o que isso significa? — perguntei.

— Significa assassinato! — disse ele debruçando-se sobre o cadáver. — Era o que eu imaginava! Veja isso!

Ele apontou para o que parecia ser um espinho comprido na pele de Bartholomew, logo acima da orelha.

— Parece um espinho — disse eu.

— É um espinho. Pode pegá-lo, mas com cuidado, pois está envenenado.

Saiu tão facilmente que quase não deixou marca. Uma pequena gota de sangue escapou do local em que o pobre homem fora atingido.

— Para mim, este é um mistério insolúvel. Fica cada vez mais escuro — disse eu.

— Pelo contrário, meu caro Watson. Está mais claro a cada instante. Só preciso de mais alguns detalhes para concluir o caso — disse Sherlock com a sua perspicácia usual.

Desde que entramos no quarto, nós praticamente nos esquecemos de que Thaddeus estava conosco. Ele permanecia junto à porta totalmente horrorizado. Repentinamente, ele soltou um grito:

— O tesouro sumiu! Roubaram o tesouro! Esse é o buraco pelo qual nós baixamos a arca. Eu ajudei meu irmão a descê-la. Fui a última pessoa a vê-lo com vida. Eu o deixei ontem à noite e ouvi quando ele trancou a porta. Eu ainda estava descendo as escadas.

— A que horas foi isso?

— Às dez da noite. Agora ele está morto, a polícia será chamada e eu serei um dos suspeitos. Meu Deus, o que farei? Não acham que fui eu? Oh, vou enlouquecer!

Ele estava agitado como se fosse convulsionar.

— Não tema, Mr. Sholto — disse Holmes colocando as mãos sobre o ombro do pobre homem inconsolável. — Vá ao distrito policial e comunique o crime. Ofereça-se para ajudá-los em tudo o que for possível. Vamos esperá-lo aqui.

Thaddeus Sholto obedeceu aos conselhos de Holmes e desceu escada abaixo em direção ao departamento de polícia.

Capítulo VI
Sherlock Holmes
dá uma demonstração

Agora, meu caro Watson. Temos esse tempo a sós. Vamos usá-lo de forma sábia. Como já lhe disse, tenho o caso quase resolvido, mas não podemos nos perder no excesso de confiança. Simples como tudo pode parecer agora, podemos perder os fatos ocultos.

— Simples? — perguntei.

— Certamente — disse Holmes. — Fique naquele canto e tenha cuidado para que suas pegadas não interfiram nas provas. Agora, vamos ao trabalho! Primeiramente, como os assassinos entraram e saíram? A porta já sabemos que não foi aberta desde a noite passada, mas e quanto à janela? — Holmes ia iluminando tudo com a sua lanterna enquanto fazia às observações para si próprio. — A janela está trancada por dentro, a moldura é firme, nenhuma dobradiça. Vamos abri-la, veja, nenhuma calha, o telhado está longe. Um homem, contudo, esteve em pé ao lado da janela. Veja a marca de barro no peitoril. E aqui uma marca de barro perto da mesa, no chão. Olhe, Watson!

Olhei para os círculos enlameados.

— Isso não é uma pegada — disse eu.

— É algo mais valioso ainda. É a marca de um toco de madeira. Veja no peitoril a marca da bota e de um toco de madeira.

— O homem da perna de pau.

— Exatamente! Mas alguém estava com ele. Um aliado muito capaz. Veja, você conseguiria escalar essa parede, doutor?

Eu olhei pela janela e me deparei com a altura do local em que estávamos.

— É absolutamente impossível — respondi.

— Sem ajuda, com certeza é. Mas imagine que alguém lhe jogue uma corda. Assim, você conseguiria subir. Você sairia do mesmo jeito que entrou e seu comparsa soltaria a corda. Em seguida, ele fecharia a janela e sairia do mesmo jeito que entrou. O perneta, entretanto, não era um alpinista experiente, pois, ao examinar a corda, posso ver pequenas manchas de sangue, ou seja, suas mãos não eram calejadas o suficiente.

— Muito bem! E quanto ao aliado misterioso? Como ele entrou no quarto? — perguntei.

— Sim, esse aliado é o que faz com que esse caso saia do lugar comum.

— E como ele entrou? — insisti. — A porta está fechada, a janela também. Será que foi pela chaminé?

— Eu já considerei essa hipótese, mas o buraco é muito pequeno.

— Como, então?

— Quantas vezes já lhe disse que, quando eliminamos

o impossível, o improvável é o que nos resta e, provavelmente, deva ser a verdade. Sabemos que ele não entrou pela janela, pela porta e nem pela chaminé. Então, de onde ele veio?

— Através da abertura do teto?

— É claro que sim! Ele entrou por aí. Agora, se você fizer a gentileza de segurar a lanterna, podemos estender nossas investigações ao sótão, o local secreto onde estava o tesouro.

Holmes subiu os degraus e, agarrando-se às vigas, puxou-se para cima. Em seguida, ele pegou a lanterna e segurou-a enquanto eu o seguia.

O local onde estávamos tinha cerca de seis metros quadrados. O chão era formado por vigas com uma camada de cimento entre elas. O teto era inclinado e estávamos, evidentemente, na parte da casa onde o telhado era mais reforçado. Não havia qualquer mobília, apenas uma grossa camada de poeira acumulada durante anos.

— Aqui está, veja! Um alçapão que leva para o telhado. Foi por aqui, portanto, que o aliado entrou. Vamos ver se encontramos outros sinais dele.

Holmes examinou o chão com a sua lanterna e, pela segunda vez naquela noite, vi uma expressão de horror tomar seu rosto. O chão estava cheio de pegadas descalças, claras e bem definidas, mas com menos da metade do tamanho das de um homem normal.

— Holmes — sussurrei —, uma criança ajudou nesse crime horrendo?

Ele já havia recuperado o controle.

— Fiquei surpreso por um instante, mas tudo é muito óbvio. Não temos mais nada para olhar aqui. Vamos descer!

— Qual a sua teoria em relação ao tamanho das pegadas? — perguntei ansioso.

— Meu caro Watson, tente aplicar um pouco dos meus métodos. Você já os conhece bem!

— Não consigo ver nada que se enquadre nos fatos — retruquei.

— Logo tudo estará claro para você!

Holmes pegou sua lupa e, por mais uma vez, examinou o quarto minuciosamente. Corria de um lado para o outro analisando tudo o que via pela frente. Falava consigo mesmo dando a entender um ar de satisfação para quem o observava.

— Estamos com sorte — disse ele. — Não devemos mais encontrar dificuldades. O aliado número um teve a infelicidade de pisar no creosoto. Repare no contorno do seu pezinho aqui, ao lado dessa sujeira fedida. O garrafão se quebrou e a coisa vazou.

— E daí?

— Daí que o pegamos. Sei de um cachorro que consegue farejar um cheiro como esse em qualquer lugar do mundo. Veja como é forte e fácil de ser diferenciado! Escute, lá vem os representantes da lei!

Ouvimos vozes altas e passos fortes vindos do corredor.

— Antes que eles cheguem, sinta o braço desse pobre homem. O que você consegue perceber? — perguntou Holmes.

— Seus músculos estão enrijecidos.

— Exatamente. E o que isso lhe sugere?

— Morte por envenenamento! Para ser mais específico, alguma substância que produz tétano.

— Foi exatamente o que me ocorreu quando vi sua face paralisada na mesma expressão. Até por isso descobri o espinho em sua pele, sem muito esforço, pois já esperava por algo dessa natureza. Agora, examine o espinho.

Peguei o material com cuidado e olhei bem para todas as suas características.

— Parece um espinho inglês? — perguntou Holmes.

— Certamente não.

— Com todas essas informações, você pode chegar a algumas conclusões, não é mesmo? Mas veja, agora está na nossa hora de descansar. Eis que chegam as tropas regulares.

Conforme Holmes fora terminando de falar, o policial entrou no quarto acompanhado por Thaddeus Sholto. Ele era gordinho e tinha o rosto avermelhado com dois olhinhos que piscavam muito.

— Que situação! — exclamou ele. — Quem são essas pessoas? Parece até que você me convidou para uma festa.

— Creio que você se lembre de mim, oficial Athelney Jones — disse Holmes.

— Mas é claro! Sherlock Holmes, o teórico. Lembro-me bem do senhor e da sorte que teve no palpite no caso das joias de Bishopgate.

— Não foi uma questão de sorte, mas de raciocínio.

— Vamos lá, Holmes! Não se envergonhe de entregar os pontos. Mas vamos ver isso aqui. Situação complexa. Fatos graves, sem espaço para teorias. Do que você acha que esse homem morreu?

— Não creio que devamos teorizar sobre este caso — respondeu Holmes de forma ríspida.

— Claro que não, mas não podemos negar que, às vezes, você acerta na mosca. Aqui, por exemplo, porta fechada, joias valendo meio milhão de libras. Como estava a janela?

— Fechada, mas há pegadas na beirada.

— Bom, se estava fechada, as pegadas não significam nada. Esse homem pode ter sofrido um ataque; mas e as joias? Elas desapareceram. Tenho uma teoria! Sargento, espere do lado de fora com Mr. Sholto. Veja o que você acha, Holmes. Sholto disse ter estado com o irmão na noite anterior e foi o último a entrar no quarto. Sholto deve ter discutido com o irmão, que teve um ataque e morreu. Depois, Sholto fugiu com as joias. E aí, o que acha?

— Na sua teoria o morto se levanta e fecha a porta por dentro?

— Pois é, tem uma falha, mas sejamos sensatos. Thaddeus esteve com o irmão e houve uma briga pelo que sabemos. O irmão está morto e as joias desapareceram. Ninguém mais viu o irmão desde que Thaddeus saiu. Thaddeus se encontra numa agitação mental que facilmente poderia ser considerado culpado. Veja, estou construindo a rede e a rede se fecha ao redor dele.

— O senhor não conhece todos os fatos, por isso pensa assim. Este espeto de madeira envenenado estava no pescoço de Bartholomew. Este papel com a mensagem estava na mesa e, ao lado dele, esta espécie de martelo. Como tudo isso se encaixa na sua teoria?

— Confirma-a em todos os aspectos. Veja esta casa, cheia de lembranças da Índia. Thaddeus trouxe essas coisas, e essa lasca de madeira envenenada pode ter sido usada por ele ou por outro homem. O papel é uma pista plantada, com certeza. A única questão em aberto é: como ele saiu? Ah, veja bem, um buraco no teto.

Rapidamente o oficial subiu no sótão e começou a andar.

— Talvez ele encontre algo — observou Holmes dando de ombros. — Não há tolos mais incômodos do que os que têm espírito, não é mesmo?

— Vocês viram? — disse Athelney descendo os degraus. — Os fatos são melhores que teorias. Tem um alçapão aberto, foi por lá que ele fugiu!

— Fui eu que abri — disse Holmes.

— Vocês já tinham ido lá? Bom, de qualquer forma, consegui fechar minha teoria. Sargento!

— Sim, senhor.

— Traga o senhor Thaddeus até aqui. Mr. Sholto, tudo que você disser poderá ser usado contra você. Está preso em nome da rainha pela morte de seu irmão.

— Ah, meu Deus! Eu sabia! — gritou o pobre homem desesperado.

— Calma, creio que posso livrá-lo dessa acusação — disse Holmes.

— Não venha com promessas, Mr. Teórico! Não prometa demais! Talvez você encontre mais dificuldades do que pensa! — disse Athelney.

— Não apenas livrarei esse homem, Jones, mas também lhe darei o nome dos outros dois culpados. Um deles é Jonathan Small, um homem pouco instruído, baixo, ativo, perna direita amputada, o que o faz ter que usar uma perna de madeira. Usa na outra perna uma bota com bico quadrado. É um homem de meia idade, pele bronzeada e já foi preso. Já o outro homem...

— Sei, o outro homem... — disse Jones com desdém, mas claramente impressionado com a precisão de Holmes.

— É uma pessoa bastante interessante. — continuou Holmes. — Espero poder levar os dois até você em breve. Mas, antes, Watson, venha aqui.

Holmes me chamou num canto para conversar em particular.

— Meu caro, esses fatos inesperados me fizeram esquecer do propósito inicial de nossa missão. Por favor, acompanhe Miss Morstan até a casa dela e eu espero por você aqui. Pode ser? Ou está muito cansado?

— De jeito nenhum. Já vi de tudo nesta vida, mas esse caso certamente me instiga. Eu levo a moça e volto para terminarmos de desvendar esse mistério.

— Sua ajuda me será muito útil. Vamos trabalhar separadamente e deixe que nosso colega Jones fique ludibriado com seus delírios. Depois de deixar Miss Morstan, vá até a rua Pinchin, número 3. A terceira casa à direita é de um empalhador de aves. O nome dele é Sherman. Acorde o velho e diga que preciso de Toby imediatamente. Você deverá trazê-lo na carruagem, está certo?

— Um cachorro, eu suponho?

— Sim, um vira-lata horroroso, mas com um faro que eu nunca vi igual! Prefiro a sua ajuda do que a de qualquer outro policial!

— Pode deixar, vou trazê-lo. Agora é uma da manhã, até as três devo estar de volta.

— E eu vou ficar por aqui e ver se consigo algo com Mrs. Bernstone e com o criado indiano. Enquanto isso, serei obrigado a ouvir as asneiras do colega Athelney Jones. Afinal, "é comum vermos os homens zombarem do que não entendem". Goethe é sempre preciso, não é mesmo?

Capítulo VII
O episódio do barril

A polícia mandou um carro, no qual acompanhei Miss Morstan até sua casa. Ela havia se mantido calma e serena para consolar a pobre governanta, mas, no momento em que entrou no carro, viu-se em total amparo e, já que não precisava mais consolar ninguém, ela desabou. Chorou copiosamente, quase desmaiou e estava sofrendo muito. Aquela noite tinha sido muito forte para ela. Ela estava carente e eu a consolava com todo o meu amor e carinho. Eu estava com fortes sentimentos em relação a ela, mas não queria parecer interesseiro, uma vez que, quando o tesouro fosse encontrado, ela se tornaria uma das mulheres mais ricas da Inglaterra. O tesouro de Agra era como uma barreira entre nós.

Eram quase duas da manhã quando chegamos ao seu destino. Mrs. Cecil Forrester estava tão aflita por sua governanta que a aguardava acordada. Ela mesma abriu a porta e graciosamente recebeu sua criada com todo carinho. Estava claro que Miss Morstan era mais que uma criada, era uma amiga. Ela me recebeu também com muita gentileza e eu pude então contar a ela toda a nossa aventura. Sem muito demorar, eu prometi que traria novidades assim que as tivesse e parti.

Da janela do carro olhei para trás e pude ver as duas figuras graciosas paradas em frente ao hall. Aquela visão tranquila me trouxe paz naquele momento tão aflito e conturbado.

Quanto mais eu pensava sobre o que tinha ocorrido, mais tenebroso parecia. Fui me lembrando de todos os fatos, desde a chegada Miss Morstan na Baker Street. Aquele caso parecia cada vez mais com um enorme labirinto que estava longe de chegar ao fim.

Finalmente cheguei à rua Pinchin, que era formada por uma fileira de sobrados de tijolo aparente. Parei em frente ao que Holmes havia me indicado e bati na porta.

— Vá embora, seu vagabundo! Saia já ou vou atirar algo pela janela para o atingir! — gritava a voz de dentro da casa.

— Mr. Sherman, eu só quero o cão!

— Saia, antes que as coisas fiquem feias para você! Não vou mais discutir!

— Mr. Sherlock Holmes que me... — quando falei o nome de Holmes, o homem rapidamente abriu a porta. Mr. Sherman era um velho alto e magro, com ombros caídos, pescoço enrugado e usava óculos de lentes azuis.

— Um amigo de Sherlock Holmes é sempre bem-vindo! — disse o velho convidando-me para entrar. — Por favor, não fique bravo pela minha reação. Aqui na rua a criançada me enlouquece. O que Mr. Sherlock Holmes deseja?

— Ele quer o cachorro.

— Ah, você deve estar falando do Toby.

— Isso mesmo.

— O Toby fica na casinha 7, venha comigo!

Ele foi andando em meio ao enorme número de animais que ele tinha em sua casa até chegar em frente à casinha de Toby, o vira-lata. Toby era um cãozinho feio de pelos compridos e orelhas caídas, marrom e branco, com um andar desajeitado e trêmulo. Hesitou um pouco em vir comigo, mas, depois que o velho lhe deu um torrão de açúcar, não foi difícil conquistar sua amizade e levá-lo até o carro. Tinha acabado de dar três horas quando cheguei à Mansão Pondicherry. Ao chegar, fiquei sabendo que o lutador McMurdo fora preso, como cúmplice, juntamente com Mr. Thaddeus. Dois guardas estavam vigiando o portão, mas me permitiram entrar quando disse trabalhar com Sherlock.

Holmes estava lá, parado na porta da casa fumando seu cachimbo.

— Ah, você conseguiu trazê-lo! — disse Holmes, animado. — Você não sabe o que aconteceu por essas bandas. Athelney prendeu não só Thaddeus como também o pobre McMurdo. Agora estamos sozinhos, tem apenas um sargento lá em cima. Deixe o cachorro aqui e vamos subir.

Amarramos Toby no hall e subimos as escadas. O quarto estava exatamente como tínhamos deixado, a não ser por um lençol que colocaram em cima do morto. Um sargento com aspecto cansado estava recostado na porta.

— Empreste-me a sua lanterna, sargento — pediu Holmes. — Agora, Watson, preciso tirar os meus sapatos e meias. Venha até o buraco, só um instante.

Subimos pelo buraco e Holmes iluminava as pegadas na poeira.

— Observe bem essas pegadas. O que tem de interessante nelas?

— São de uma criança ou de uma mulher bem pequena.

— Além do tamanho, há outra característica interessante do seu ponto de vista?

— Elas se parecem com as outras pegadas.

— De modo algum. Veja! Essa marca é de um pé direito. Agora vou fazer uma com o pé descalço. Qual a diferença?

— Seus dedos estão próximos uns dos outros, na outra pegada os dedos estão separados.

— Exatamente. Vá até a abertura e cheire a moldura. Ficarei aqui com o lenço molhado no creosoto na mão.

Fiz como ele pediu e, imediatamente, senti o cheiro de alcatrão.

— Foi aqui que ele colocou o pé ao sair. Se você sentiu o cheiro, Toby não terá dificuldade. Vá lá para baixo e solte o cachorro.

Quando cheguei lá embaixo, Holmes já estava no telhado com sua lanterna, perambulando como um vagalume.

— É você, Watson? — gritou.

— Sou eu.

— É aqui! O que é essa coisa preta aí embaixo?

— Um tonel de água!

— Tem tampa?

— Tem!

— Nenhuma escada?

— Não.

— Diabo de sujeito! Vou tentar descer por onde ele subiu! O cano da calha me parece firme, aí vou eu!

Holmes começou a escorregar. Então, com um pequeno salto, ele atingiu o barril e, depois, a parede.

— Foi fácil segui-lo! Pelas telhas encontrei algo que confirma nossa hipótese diagnóstica, como diriam os médicos.

Holmes me entregou uma sacolinha de palha com as lanças, assim como a que encontramos no pescoço do homem assassinado.

— Essas são as armas! — disse Holmes. — Cuidado para não se machucar! É bom que isso esteja conosco para que esse assassino não faça mais estragos até o pegarmos. Você aguenta uma corrida de dez quilômetros agora?

— Sem dúvida — respondi.

— Sua perna resistirá?

— Espero que sim!

— Toby, venha cá! Cheire isso! — Holmes colocou o lenço com creosoto no focinho do cachorro. Então, Holmes jogou o lenço no tonel de água, e não demorou muito para o animal começar a seguir uma trilha com o odor pelo chão.

O dia já estava clareando e nós seguimos a trilha que o cachorro ia nos direcionando, passo a passo. Passamos por montes de entulho, buracos, trincheiras e os lugares mais duvidosos possíveis. Até que chegamos a um muro, em que Toby começou a correr insistentemente ao longo dele. Encontramos uma junção de pedras que formavam algo parecido com uma escada. Holmes subiu por ali e, pegando o cachorro, passamos para o outro lado.

— Veja! A marca da perna de pau! — disse ele. — Repare na mancha de sangue que segue o reboco. Que sorte não ter chovido desde ontem! O odor permanecerá na estrada apesar das horas de vantagem que eles têm.

Confesso que duvidei, era muito tempo de vantagem que os bandidos tinham sobre nós. Toby, contudo, não hesitou, seguia firme, com seu passo peculiar. O cheiro do creosoto destacava-se acima dos outros.

— Fique tranquilo, Watson! O sucesso desse caso não depende só da trilha de creosoto. Já reuni informações suficientes para que eu consiga chegar aos criminosos de outra forma. Mas essa é a mais evidente, não poderia desperdiçá-la!

— Ainda me impressiono com suas habilidades, meu caro amigo! Como você pode afirmar com tanta certeza sobre a perna de pau?

— Ora, meu amigo! É mais simples do que parece. É tão claro e evidente! Dois oficiais ficam sabendo sobre um tesouro escondido. Um mapa é desenhado para eles por um inglês chamado Jonathan Small. Esse era o nome que estava no desenho encontrado entre as coisas do capitão Morstan. Ele o assina em nome dele mesmo e também dos seus sócios, daí o Signo dos Quatro, como dramaticamente eles denominaram o desenho do diagrama. Esse papel ajudou os oficiais a pegarem o tesouro e trazerem para a Inglaterra, de forma não muito bem esclarecida. Agora, veja, por que Jonathan Small não pegou ele mesmo o tesouro? A resposta é óbvia. A data do diagrama mostra quando Morstan entrou em contato com os condenados. Jonhatan Small não pegou o tesouro porque ele se encontrava preso e não podia sair da penitenciária.

— Isso é mera especulação — disse eu.

— É mais do que isso. É a única hipótese que explica os fatos. Vamos ver como ela se encaixa nos acontecimentos posteriores. O major Sholto fica tranquilo por uns anos, feliz com seu tesouro. Então ele recebe uma carta, vinda da Índia, que lhe produz um medo terrível. O que pode ser?

— Uma carta dizendo que os homens que ele havia enganado tinham sido soltos.

— Ou fugiram, o que penso ser o mais provável, já que o major sabia bem a pena dos homens. O que ele faz então? Protege-se do homem da perna de pau a qualquer custo, chegando até a atirar por engano em uma pessoa para isso. Agora, naquele diagrama, há apenas um nome europeu, os outros são hindus ou muçulmanos. Não há outro homem branco. Portanto, podemos afirmar com certeza que o homem da perna de pau é Jonathan Small. Esse raciocínio lhe parece plausível?

— Muito.

— Vamos então nos colocar no lugar de Jonathan Small. Vejamos a situação do seu ponto de vista. Ele vem para a Inglaterra com dois objetivos: recuperar o que ele julgava ser seu e se vingar do homem que o enganou. Ele descobre onde Sholto mora e, possivelmente, estabelece contato com alguém da casa. Pode ser o mordomo, Lal Rao, que ainda não conhecemos. Mrs. Bernstone não o descreve com sendo uma boa pessoa. Small, no entanto, não conseguiu descobrir onde estava o tesouro. Quando ele descobre que Sholto está em seu leito de morte, ele fica desesperado que o segredo possa morrer junto com o homem. Ele, então, passa pela guarda da casa e aparece na janela na noite da morte do major. Depois de presenciar a cena da morte, ele fica enfurecido, volta, vasculha todo o quarto e deixa um bilhete sobre o cadáver como sinal de seu ato de justiça para os outros saberem que ele tinha passado por ali. Você me acompanha até aqui?

— Perfeitamente!

— Mas o que Jonathan Small poderia fazer? Apenas vigiar o tesouro secretamente, indo e voltando da Inglaterra de tempos em tempos. Quando descobre sobre o sotão, ele escolhe um aliado, porque sozinho, com sua perna de pau, não conseguiria nada. Assim, ele leva o parceiro, que acaba pisando no creosoto, e aqui estamos nós com Toby procurando por ele.

— Então você está dizendo que foi o parceiro e não Johnathan que cometeu o crime?

— Isso mesmo! Jonatham não tinha nada contra Bartholomew Sholto, ele poderia apenas ter amarrado o homem e roubado o tesouro, mas seu parceiro, num ímpeto, acabou matando o pobre. Isso foi o que concluí. Também imagino que Small seja alto, pelo comprimento de sua passada podemos concluir isso.

— E quanto ao parceiro?

— Não existe muito mistério quanto a isso, mas logo você saberá tudo. Trouxe o revólver?

— Estou com a bengala.

— Possivelmente precisaremos de armas quando chegarmos ao esconderijo deles. Você cuida de Johnathan, e, se o parceiro quiser encrenca, dou-lhe logo um tiro.

Enquanto falava, Holmes pegou sua arma, colocou duas balas e a guardou novamente.

Nós seguimos acompanhando Toby pelas ruas e caminhos em que ele nos levava. Já estávamos no meio da cidade novamente, em um local não tão receptivo, mas nosso guia seguia sem toscanejar. De repente, começamos a perceber que Toby estava andando em círculos e, por vezes, olhava para nós como se estivesse pedindo desculpas pelo engano.

— O que está acontecendo com esse cachorro? — disse Holmes.

— Eles devem ter ficado aqui por algum tempo.

— Ufa, lá vai ele outra vez — suspirou meu amigo, aliviado.

O cachorro estava determinado, porque, depois de se confundir um pouco, ele agora seguia com a cabeça mais erguida. O cheiro estava mais forte e parecia que estávamos prestes a chegar ao nosso destino. Meu amigo Holmes mostrava-se alegre com a intrepidez do cachorro que sinalizava o fim de nossa jornada.

Descemos pela rua Nine Elms até chegarmos à famosa madeireira Broderick & Nelson. O cachorro entrou na madeireira pelo portão lateral. Ele correu em meio à serragem e às pilhas de madeira até chegar em um tonel onde começou a latir com muito afinco, esperando nosso sinal de que ele havia acertado. Quando nos aproximamos, vimos o tonel cheio de creosoto e as rodas do carrinho que estava ao lado todas lambuzadas. Eu e Sherlock Holmes nos entreolhamos e caímos na gargalhada.

Capítulo VIII
Os não oficiais da Baker Street

— Parece que Toby já não é mais tão infalível! — comentei. — Ele usou os recursos que estavam à sua disposição. Realmente há muito creosoto nos arredores de Londres. Ele só seguiu o cheiro, não podemos culpar o pobre cão.

— Vamos retornar ao rastro principal.

— Vamos, para nossa alegria não está longe. É na praça Knight, onde Toby sentiu o cheiro por todos os lados e se perdeu. Devemos voltar lá e nos certificar de que ele não pegue novamente o rastro errado.

Isso não foi difícil. Quando voltamos para o local em que Toby havia se enganado, ele rapidamente retomou a outra trilha e seguiu.

— Veja, dessa vez parece que estamos no caminho certo. Toby está seguindo pela calçada, tudo indica que o homem passou por aqui.

O rastro nos levava até o píer no rio. Toby chegou lá e ficou ganindo como se estivesse no local correto.

— Não estamos com sorte — disse Holmes. — Eles provavelmente pegaram um barco.

Havia muitas embarcações próximas ao píer. Levamos Toby a todas elas, mas ele não pôde encontrar nada. Ali ao lado, tinha uma casa de tijolos com uma placa pendurada na janela dizendo: "Mordecai Smith — Alugam-se barcos por dia ou por hora". Sherlock Holmes começou a olhar ao redor e sua expressão não indicava satisfação.

— Não estamos indo bem! Esses sujeitos pensaram em tudo há muito tempo. Apagaram as pistas!

Holmes estava se aproximando da casinha quando a porta se abriu e uma criança saiu correndo.

— Volte aqui, Jack! — gritou a mulher para o menino fujão.

— Perdoe-me, minha senhora — disse Holmes. — Mas eu gostaria de alugar um barco.

— Infelizmente não posso ajudá-lo — disse ela enquanto trazia o menino para dentro. — Meu marido é que faz esse serviço, e ele saiu ontem de manhã e até agora não voltou. Por isso o menino está assim, desculpe-me.

— Fique tranquila, minha senhora, em breve seu marido voltará.

— Minha preocupação é que ele tinha pouco carvão. Já deveria ter voltado!

— Queria alugar a lancha a vapor!

— Foi nessa mesma que ele saiu. Mas para que serve uma lancha a vapor sem carvão? Ele já deveria estar aqui! — exclamou a moça, agoniada.

— Calma, ele pode parar para comprar em algum píer — respondeu Holmes.

— Mas esse não é o seu costume. Ele acha tudo caro! Além do mais, ele saiu com aquele moço da perna de pau! Eu não gosto dele! O que ele quer batendo aqui todo dia?

— Perna de pau?

— Isso mesmo, um homem bronzeado, com cara amassada, já procurou meu marido mais de uma vez. Ele apareceu manhã passada, e o mais estranho era que meu marido já estava com a lancha a postos, ou seja, sabia que ele viria!

— Fique calma! Afinal, como você pode ter tanta certeza que foi o homem da perna de pau que veio?

— Porque eu conheço o tom de sua voz! Ele chegou e gritou: "Vamos, compadre, está na hora do show!". No momento em que ele gritou, meu marido acordou Jim, meu filho mais velho, e eles partiram juntos.

— O homem da perna de pau estava sozinho?

— Não sei!

— Que pena, eu precisava mesmo de uma lancha. E já ouvi falar muito bem da... Como ela se chama mesmo?

— Aurora!

— Isso, Aurora! Com a pintura verde e amarela, certo?

— Não, ela é preta com duas listras vermelhas e acabou de ser pintada. É o barco mais bonito da região!

— Bom, vou descer o rio; se eu vir Aurora com seu marido, aviso que você está preocupada! A chaminé é preta, certo?

— Preta com uma faixa branca!

— Ah, mas é claro, as laterais que são pretas. Agora vamos, Watson, lá está um barqueiro à nossa disposição. Vamos atravessar o rio com ele!

Entramos na embarcação, Holmes sentou-se ao meu lado com ar de satisfação e disse:

— O principal com pessoas desse tipo é não deixá-las perceber que a informação que elas estão nos dando é de extrema importância. É preciso que pareça algo extremamente corriqueiro! Do contrário, a pessoa se fecha!

— Parece que agora temos um rumo! — disse eu.

— O que você faria a partir daqui? — perguntou Holmes.

— Alugaria um barco e seguiria procurando a Aurora.

— Meu caro amigo, isso seria difícil. Este rio é imenso, passaríamos dias e ainda assim poderíamos não encontrá-la.

— Vamos chamar a polícia?

— Não. Só chamarei Athelney Jones no último minuto. Eu quero desvendar tudo sozinho, já que chegamos até aqui.

— Que tal colocarmos um anúncio no jornal pedindo informações?

— Pior ainda, isso traria um alarde para nossos homens, que provavelmente fugiriam do país. Jones nos será necessário, pois seus atos estabanados chegarão à imprensa e servirão para distrair os fugitivos.

— O que faremos? — perguntei.

— Vamos para casa tomar café da manhã, descansar um pouco e depois continuamos. O Toby fica conosco, pois ele pode ser útil! Só preciso parar para enviar um telegrama.

— Para quem?

— Para quem você acha que é?

— Não faço ideia!

— Lembra-se da força policial da Baker Street que usei no caso Jefferson Hope?

— E daí? — disse eu rindo.

— Este é um caso no qual eles podem ser valiosíssimos! Se falharem, usarei outra estratégia, mas vamos tentar com eles primeiro. Vou enviar em nome do comandante Wiggins. Eles devem estar conosco até o fim do café da manhã.

Chegamos em casa entre oito e nove horas. Eu estava exausto. Toda tensão da noite anterior me consumia de maneira sem igual. Nunca imaginei que terminaríamos num caso como esse. Tomei um banho, troquei de roupa e isso já foi suficiente para me revigorar. Quando desci, Holmes já estava com a mesa posta, tomando café.

— Veja isso — ele disse rindo apontando para o jornal. — Jones já tem seu caso resolvido! Até parece. Mas vamos, coma seus ovos, esse caso já o desgastou demais.

Não me aguentei, peguei o jornal e li a notícia cujo título era "Fato Misterioso em Norwood". A notícia enaltecia Jones até o último fio de cabelo e dizia que ele havia prendido todos: Thaddeus, a governanta, McMurdo e até mesmo o mordomo Lal Rao. Holmes parecia satisfeito com a notícia colocada nos jornais.

— Não lhe parece maravilhoso? — perguntou Holmes com sua xícara de café na mão.

— Por pouco nós também teríamos sido presos, não é mesmo?

Mal terminei de falar e ouvi a campainha seguida dos gritos desesperados de Mrs. Hudson.

— Meu Deus, Holmes! Vieram nos pegar!

— Não, fique calma. É a divisão não oficial... os irregulares da Baker Street.

Enquanto ele falava, a sala foi sendo preenchida por uma série de meninos de rua, maltrapilhos e fedidos. Colocaram-se em fila e ficaram nos olhando à espera de alguma ordem.

— Recebi sua mensagem, senhor! — disse um deles. — Trouxe todos imediatamente! Preciso do dinheiro pelas passagens.

— Aqui está — disse Holmes. — Não precisava ter entrado com todos aqui, Wiggins, eles poderiam seguir suas ordens. Mas, já que vieram, escutem. Preciso descobrir onde está uma lancha chamada Aurora, de Mordecai Smith. Ela é preta com duas listras vermelhas e uma chaminé preta com faixa branca. Ela está em algum lugar do rio. Dividam-se e deem busca. Assim que tiverem alguma informação, avisem-me. Está claro?

— Sim, capitão! — disse Wiggins.

— O pagamento é o de sempre. Ganham mais se acharem o barco. Aqui está o primeiro dia adiantado!

Holmes distribuiu o dinheiro e, no minuto seguinte, Wiggins e sua tropa já estavam descendo a rua.

— Se a lancha estiver na água, eles encontrarão. Eles podem ver tudo e todos de qualquer lugar sem serem percebidos. Espero que até o fim do dia me tragam alguma notícia boa. Enquanto isso, nada podemos fazer senão esperar.

— Você vai descansar, Holmes?

— Não. Não estou cansado. Trabalho não me cansa,

somente a falta dele. Vou fumar e refletir sobre esse caso em que a nossa bela cliente acabou nos envolvendo. Nossa tarefa é fácil, pois, embora os homens de perna de pau não sejam tão comuns, o seu parceiro é único!

— Lá vem você elucubrando sobre ele novamente!

— Não desejo criar mistérios em torno disso. Mas você precisa ter sua própria opinião. Pense! Pés pequenos, descalço, martelo com cabeça de pedra, dardos envenenados. O que isso lhe sugere?

— Um indiano selvagem!

— Dificilmente. Cheguei a pensar nisso, mas as características das pegadas me fizeram repensar. Os indianos tem pés finos e longos. E os dardos que foram usados só podem ter sido disparados por uma zarabatana. Então, de onde vem nosso selvagem?

— América do Sul!

Holmes estendeu sua mão e pegou um livro enorme da prateleira.

— Veja, esta é uma respeitada enciclopédia geográfica. Olhe aqui. "Ilhas Andamã, situadas a 550 quilômetros ao norte de Sumatra, perto do golfo de Bengala". Temos mais algumas coisas, clima úmido, recifes, tubarões e... aqui está! "Nessas ilhas é possível encontrar os menores aborígenes da terra; alguns arqueólogos dizem ser a menor raça humana. A altura média deles é de 1,20 metro, mas existem muitos menores do que isso. São pessoas ferozes, mas que, quando conquistadas, demonstram total confiança". Ouça isso em especial, Watson: "São horrendos, cabeças grandes e deformadas, olhos cruéis e feição distorcida. Seus pés e mãos são notavelmente pequenos. São o terror dos náufragos, pois são ferozes e partem suas cabeças com martelos de pedras, feitos por eles mesmos. Esses massacres são concluídos com atos de canibalismos". Gente boa esses aborígenes, não, meu caro Watson? De qualquer forma, acredito que Jonathan Small empregou um deles.

— Mas como ele arrumou companheiro tão singular?

— Bom, não sei dizer, mas sabemos que Small veio de Andamã. Não é difícil que tenha conhecido um desses homenzinhos por lá. Sem dúvida, em breve teremos mais detalhes. Agora, meu amigo, você precisa descansar, parece exausto. Deite-se no sofá que farei você dormir.

Holmes pegou seu violino e começou a tocar uma melodia sonolenta. A última coisa de que me recordo são suas mãos subindo e descendo o arco. Sem perceber, já estava sonhando com a bela Mary Morstan.

Capítulo IX
O elo quebrado

Acordei à tarde, renovado e com mais disposição do que antes. Sherlock Holmes permanecia exatamente no mesmo lugar de antes, a única diferença é que não estava mais tocando. Todavia, quando olhei em seu rosto, percebi que ele estava preocupado.

— Você dormiu profundamente — disse ele. — Nem acordou com nossa conversa.

— Alguma novidade?

— Infelizmente não. Não encontraram nenhuma pista da lancha.

— Existe algo que eu possa fazer para ajudar? Já estou bem!

— Não, precisamos esperar; se sairmos, pode ser que o aviso chegue e nós nos desencontremos.

— Bem, então vou visitar Mrs. Cecil Forrester para lhe dar notícias.

— Mrs. Cecil Forrester? — perguntou Holmes com ar de riso.

— Juntamente com Miss Morstan, é claro.

— Não conte muito a elas. Não se pode confiar nas mulheres, nem nas melhores.

Eu ignorei seu comentário e parti.

— Devo estar de volta em duas horas.

— Ah, então, já que vai cruzar o rio, leve Toby, acredito que não precisaremos mais dele.

Partimos, eu e Toby. No caminho deixei-o com seu dono e segui para a casa de Mrs. Forrester. Ao chegar lá, elas estavam ansiosas, apesar de um pouco abatidas. Omiti alguns detalhes que considerei pertinentes e segui contando a elas sobre a aventura.

— É um romance! — exclamou Mrs. Forrester. — A jovem prejudicada, um tesouro milionário, um vilão com perna de pau acompanhado de um canibal selvagem!

— E ainda há dois cavalheiros que salvam a moça! — acrescentou Miss Morstan olhando para mim.

Após conversar com as duas, voltei para a Baker Street. Quando cheguei, encontrei Mrs. Hudson preocupada. Ela disse que Holmes estava andando de um lado para o outro desde que saí, e, quando ela o indagava, ele respondia: "Está tudo bem!". Ao se cansar dela, ele se trancou no quarto e continuou andando de um lado para o outro.

Eu acalmei Mrs. Hudson dizendo que já havia visto Holmes daquela maneira; quando algo o agitava, ele ficava assim mesmo. Ao me deitar, entretanto, até eu me preocupei, pois ouvi o som de seus passos pela noite toda. Quando acordei, ele estava na mesa do café, pálido, e aparentava estar com febre.

— Está acabando consigo mesmo, meu amigo — disse eu. — Ouvi você andando durante toda a noite.

— Está tudo bem. Só não consegui dormir. Esse problema está me consumindo! Não ouvimos notícia nenhuma. Conhecemos o homem, o barco e temos todas as informações, só não podemos achá-lo!

Holmes já havia descartado inúmeras possibilidades. A do barco ter afundado, a do barco ter subido o rio, e, para sua tristeza, os jornais continuavam a destruir a imagem de Thaddeus Sholto, o homem a quem Holmes dera a sua palavra dizendo que tudo ficaria bem.

Depois de me contar suas frustrações, Holmes começou com seus experimentos químicos para tentar se ludibriar. O cheiro estava tão ruim que me retirei por horas. Quando voltei, ele ainda estava lá; eu apenas subi para o meu quarto e dormi. Logo pela manhã, acordei assustado com a imagem de Holmes parado, em pé, ao lado de minha cama. Ele estava vestido de marinheiro, com uma jaqueta e um lenço vermelho amarrado em volta de seu pescoço.

— Estou indo até o rio, meu caro Watson. Fiquei pensando por horas a fio e só vejo uma saída.

— Posso ir com você?

— Não! É melhor que você fique, meu caro. Vá observando cada correspondência que chegar e aja de acordo com seu bom senso. Posso contar com você?

— Pode. Como entro em contato, você caso precise?

— Receio que isso não seja possível. Mas, se eu tiver sorte, não vou demorar.

Fiquei em casa e, ao abrir o jornal da manhã, deparei-me com a notícia de que Thaddeus Sholto e Mrs. Bernstone tinham sido soltos. Fiquei aliviado ao saber que o pobre homem e a doce mulher estavam livres. Continuei com o jornal em busca da próxima pista e, para minha surpresa, encontrei o seguinte anúncio na seção de desaparecidos:

DESAPARECIDOS: Mordecai Smith, barqueiro, e seu filho Jim. Saíram do píer Smith na terça-feira, a bordo da lancha Aurora — preta com duas listras vermelhas, chaminé preta com faixa branca. Paga-se quantia de cinco libras a quem der informações sobre o paradeiro dos desaparecidos à Mrs. Smith, no píer Smith, ou na Baker Street 221B.

O anúncio era claramente uma obra de Holmes, muito astuta por sinal, porque, se os fugitivos vissem, seria absolutamente normal pensarem que Mrs. Smith estava desesperada à procura do marido e do filho.

O dia foi longo e entediante. Toda vez que alguém batia à porta, minhas expectativas de serem Holmes ou uma resposta ao anúncio aumentavam. Fiquei refletindo: será que meu amigo havia cometido algum erro em seu raciocínio desta vez? Isso seria possível?

Fiquei relembrando a história e os fatos relacionados a ela, muitos triviais, mas todos apontando na mesma direção. Portanto, mesmo que Holmes estivesse montando a teoria errada, a teoria correta deveria ser tão complexa e estranha quanto àquela em que estávamos nos debruçando.

Às três da tarde a campainha tocou mais uma vez e pude ouvir a voz autoritária de Jones à porta. Para minha surpresa, ele havia vindo nos visitar em busca de ajuda. Estava sem aquela "capa" de arrogância, pelo contrário, estava retraído e humilde.

— Boa tarde, Dr. Watson. Pelo que entendi, Mr. Sherlock Holmes saiu?

— Saiu e não sei quando ele volta. Você quer esperar? Sente-se e pegue um charuto.

— Obrigado, acho que vou esperar, sim.

— Aceita um uísque?

— Meia dose não fará mal. Está muito quente e muita coisa me preocupa. Conhece a minha teoria sobre o caso de Norwood, certo?

— Ouvi na última vez em que estivemos juntos.

— Bem, fui obrigado a reavaliá-la. Thaddeus Sholto conseguiu provar seu álibi e se fez livre. Esse caso está cada vez mais obscuro e misterioso. Gostaria muito de ajuda.

— Todos precisam de ajuda às vezes.

— Seu amigo Sherlock Holmes parece que não. Já o vi nos casos mais impossíveis, sendo capaz de desvendar quaisquer mistérios. Embora seus métodos sejam diferenciados, seu talento é inegável. Hoje, pela manhã, recebi um telegrama dele que me fez entender que temos uma nova pista no caso.

Ele retirou o telegrama do bolso e me entregou. O papel dizia: "Vá para a Baker Street imediatamente. Se eu não estiver lá, espere por mim. Estou seguindo a quadrilha de Norwood. Se quiser, você poderá nos acompanhar à noite na conclusão do caso".

— Bom, parece que ele reencontrou o rastro — disse eu.

— Ah! Então ele também andou perdido? — exclamou Jones parecendo estar satisfeito. — É claro, até os melhores se perdem.

De repente, comecei a ouvir passos pesados na escada e uma voz esbaforida. Ao abrir a porta, entrou um senhor com aparência de ser idoso, vestido de marinheiro, com uma jaqueta surrada e a respiração extremamente ofegante.

— Mr. Sherlock Holmes está?

— Não, mas eu estou em seu lugar. É sobre o barco de Mordecai Smith?

— Sim! Eu sei onde está. O barco, os homens, o tesouro. Sei tudo sobre o caso!

— Então entre e me conte, eu passarei tudo a ele.

— Não, é para ele que tenho que contar.

— Então você terá que aguardar.

— Nem pensar; se Sherlock Holmes não está aqui, ele que dê conta de descobrir tudo sozinho. Não gostei da sua cara e não vou ficar aqui esperando coisa nenhuma.

Ele saiu cambaleando em direção à porta, mas Athelney Jones se colocou à sua frente.

— Espere um pouco, amigo. Você tem informações importantes! E, mesmo que não goste da ideia, você vai esperar aqui até que o nosso amigo retorne.

O velho tentou fugir, mas não passou do policial.

— Que belo tratamento vocês me deram! — gritou ele batendo a bengala. — Venho à procura de Holmes e vocês me prendem!

— Não custa nada esperar! Vamos recompensar a sua perda de tempo! — disse eu ao velho.

Bastante zangado, ele sentou-se no sofá enquanto eu e Jones voltávamos às nossas cadeiras.

— Vocês poderiam ao menos me dar um charuto!

Pulamos de nossas cadeiras ao ver Holmes sentado.

— Holmes! – gritei. — Você aqui! Mas onde está o velho?

— Eis aqui o velho — disse Holmes mostrando a peruca e todos os outros disfarces.

— Ah, seu picareta! Daria um excelente ator! — exclamou Jones rindo.

— Trabalhei com esse disfarce ao longo do dia todo! Como sabem, muitos criminosos me conhecem, principalmente depois que meu amigo aqui começou a publicar meus casos. Recebeu meu telegrama?

— Claro, por isso estou aqui. — respondeu Jones.

— Como vão as investigações? — perguntou Holmes.

— Não cheguei a lugar algum! Tive que soltar meus dois prisioneiros por falta de evidências.

— Deixe isso para lá. Eu lhe darei os culpados, mas você deverá agir de acordo com as minhas indicações. Pode ficar com todo o crédito, só precisa me obedecer, certo?

— Se me ajudar a pegá-los, tudo certo!

— Então, em primeiro lugar, preciso de uma lancha veloz. Deve estar às sete horas nas escadarias de Westminster.

— Isso eu consigo lhe arrumar facilmente.

— Também vou precisar de dois homens fortes para o caso de haver resistência.

— Mandarei dois ou três na lancha. Algo mais?

— Quando pegarmos o tesouro, quero que meu amigo aqui seja o responsável por levá-lo até a moça, que, legalmente, é a responsável por ele. O que acha, Watson?

— Será um prazer para mim.

— Procedimento irregular. Contudo, nada me parece

muito regular. Podemos levar o tesouro até a moça, mas depois o entregaremos às autoridades até o final das investigações, certo?

— Certo! Outra coisa, eu também gostaria de interrogar pessoalmente Jonathan Small para ouvir alguns detalhes diretamente dele.

— Bem, você está no comando da situação!

— Está combinado?

— Perfeitamente! Algo mais?

— Nada, apenas insisto que jante com a gente. Os assuntos já têm sido muito indigestos. Vamos aproveitar este belo faisão e as ostras. Watson ainda não testemunhou os meus dotes culinários.

Capítulo X
O fim do homem das Ilhas

Nossa refeição foi muito agradável. Holmes estava exultante. Contava um caso atrás do outro e parecia animado com a ideia de compartilhar seus assuntos conosco. Athelney Jones se mostrou um ótimo *bon vivant* e uma companhia agradável para um jantar entre amigos. A alegria era tanta que, durante o jantar, nenhum de nós falou sobre o problema que nos assombrava. No término do jantar, Holmes serviu três taças de vinho do porto.

— Façamos um brinde — disse ele. — Ao sucesso da nossa missão! E, agora, vamos partir. Pegou o revólver, Watson?

— Vou pegar o que está na escrivaninha.

— É melhor mesmo. Devemos estar preparados. Vamos, a carruagem está esperando.

Entramos na carruagem e, pouco tempo depois, já estávamos no píer com o barco à nossa espera.

— Aonde vamos? — perguntou Jones.

— Para a torre. Diga ao motorista que pare em frente ao estaleiro Jacobson.

Nosso barco era muito rápido, assim como Holmes havia pedido.

— Desse jeito, poderemos alcançar qualquer barco no rio — disse Holmes.

— Nem tanto — respondeu Jones. — Mas são poucas lanchas que podem nos superar.

— Teremos que alcançar Aurora. Ela tem fama de ser uma embarcação veloz. Estou há dias à sua procura e isso tem me tirado o sono. Comecei a raciocinar: como Small, o homem que eu acredito que seja o culpado, teria a lancha sempre à sua disposição sem ser pego?

— Como ele faria? — perguntou Jones.

— De acordo com minha ideia, ele mudaria a pintura da lancha e a deixaria em um estaleiro.

— Parece simples — disse Jones.

— Mas o nosso erro está justamente em negligenciar as coisas simples. Portanto, decidi trabalhar com essa ideia. Disfarcei-me e fui a todos os estaleiros possíveis em busca da Aurora. Quando cheguei ao estaleiro Jacobson, fui informado de que o barco que eu tanto procurava estava lá e havia sido deixado por um homem com perna de pau. Para minha surpresa, enquanto eu conversava com o capataz, veio caminhando na minha direção Mordecai Smith. Ele estava completamente bêbado. Eu não o conhecia, mas gritaram o seu nome depois de ele dizer que queria a lancha pronta às oito horas, pois havia dois senhores que precisavam embarcar nela, sem se atrasar. Segui Mr. Mordecai até o bar em que ele estava. Por sorte, encontrei um dos meus garotos lá. Ele ficou de me avisar balançando um pano assim que os homens saírem do bar.

Quando eles saírem, estaremos à espera deles e dificilmente não pegaremos os homens e o tesouro.

— Você planejou tudo muito bem. Mas, se o caso estivesse em minhas mãos, eu enviaria policiais ao estaleiro para prendê-los.

— Eles fugiriam. Esse Small é esperto. Deve ter alguém passando informações do estaleiro para seu esconderijo.

— E se você seguisse Mordecai até o esconderijo de Small?

— Acredito que ele não saiba onde Small se esconde. Ele foi bem pago e está completamente bêbado. Os criminosos devem se comunicar com ele por meio de mensageiros. Acredite, eu pensei em tudo, essa é a melhor opção.

Durante essa conversa, passamos por uma série de pontes que atravessam o Tâmisa. A noite estava se aproximando conforme íamos chegando ao nosso destino.

— Aquele é o estaleiro Jacobson. Vamos ficar navegando em círculos atrás dessas embarcações. Ali está a minha sentinela, mas não vejo o lenço.

— Vamos descer e procurar? — disse Jones.

— Não, não podemos correr o risco de errar.

Ficamos aguardando ansiosos por um sinal de nossa sentinela. Holmes já estava agitado, mas confiante que dessa vez daria certo.

— Veja! — gritou Holmes. — Aquilo ali não é um lenço branco?

— Exatamente! É o nosso garoto!

— E lá está a Aurora! Siga a lancha com luz amarela!

Saímos deslizando pela água, mas, quando nos demos conta, Aurora já estava a todo vapor seguindo rio abaixo. Jones balançava a cabeça em sinal de desapontamento.

— Meu Deus! Ela é muito veloz. Será difícil alcançarmos! — disse eu.

— Não temos outra opção senão alcançá-la! Vamos! Faça tudo o que puder para acelerarmos!

O maquinista trabalhava a todo vapor e podíamos perceber que nossa lancha estava no limite de sua capacidade. Ainda assim, conseguíamos seguir o rastro da Aurora, que ia à frente cortando as águas com toda a velocidade.

— Mais carvão! — gritava Holmes, desesperado.

— Acho que finalmente estamos nos aproximando — disse Jones.

— Com certeza! Em minutos a alcançaremos!

Seguimos firme em direção à embarcação da quadrilha. Se não fosse um barco rebocador do qual tivemos que desviar bruscamente para não colidir, já teríamos alcançado nosso alvo. Contudo, ela permanecia apenas a uns 200 metros à nossa frente, e ainda podíamos avistá-la.

A visão distante da Aurora foi se tornando cada vez mais próxima; quando nos aproximamos, pudemos ver claramente a imagem de quem estava embarcado. Um homem estava sentado na popa com algo negro entre seus joelhos. O menino dirigia o barco e Mr. Smith estava socando carvão a todo vapor. Eles não tinham dúvidas de que estavam sendo seguidos.

Metro a metro nós íamos nos aproximando. Os dois barcos estavam a uma velocidade absurda. Jones gritava para que parassem o barco, enquanto homem da popa havia se levantado e mexia as mãos como se estivesse muito nervoso. Holmes deu ordem para sacarmos nossos revólveres e, caso eles se levantassem de novo, deveríamos atirar.

Ao som dos gritos furiosos, nós vimos se erguer no meio do barco a criatura mais horrenda que já pôde ser vista. Era pequeno, deformado, com cabelos negros, e seus olhinhos brilhavam demonstrando a fúria animalesca presente no indivíduo. Não tivemos a menor dúvida de atirar contra o homem. No momento em que disparamos nossas pistolas, ele caiu no rio, enquanto Mr. Smith assumiu o leme e jogava Aurora na direção sul do rio, no sentido de um local deserto, com aspecto pantanoso.

Quando fomos chegando próximos à margem, o fugitivo saltou rapidamente, mas sua perna de pau não lhe permitia andar no pântano, o que fez com que ele seguisse afundando cada vez mais. Amarramos uma corda ao seu redor e o puxamos para o nosso barco. Mr. Smith e seu filho vieram sem relutar. A própria Aurora e o tesouro que parecia se encontrar dentro dela tiveram que ser rebocados. Nossos nervos estavam a milhão, passamos por muita tensão naquele momento.

— Vejam isso — disse Holmes. — É um daqueles dardos envenenados. Um de nós poderia estar morto a essa altura.

Lá estava, presa entre as madeiras de nosso barco, a arma mortal que poderia nos ter tirado a vida. Holmes sorriu e deu de ombros, mas eu fiquei um tanto quanto desconfortável com a ideia de que poderia estar morto.

Capítulo XI
O tesouro de Agra

Nosso prisioneiro estava sentado e amarrado. Ele tinha um ar destemido, de um homem que vivia no mundo. Sua pele bronzeada indicava as longas horas que ele passava ao relento; sua idade deveria estar em torno dos cinquenta, tinha alguns cabelos grisalhos, mas apresentava ser alguém que não desistia facilmente de seus objetivos.

— Bom, Johnathan Small, não gostaria que a situação tivesse chegado a esse ponto. — disse Holmes.

— Eu também não, meu senhor. Eu juro por tudo que há de sagrado que eu não encostei um dedo em Mr. Sholto. Foi aquele imbecil do Tongo que atirou um de seus dardos malignos e o matou sem dó nem piedade. Quando vi, já estava feito.

— Pegue um charuto — disse Holmes. — Você acreditou mesmo que aquele homenzinho conseguiria dominar Mr. Sholto enquanto você subia pela corda?

— O senhor fala como se estivesse lá. Na verdade, eu conhecia bem os hábitos da casa, aquela era a hora que Mr. Sholto saía para jantar. Eu não queria tê-lo encontrado lá; se fosse o major, teria grande prazer de colocar minhas mãos nele, mas não no menino. Pergunte-me o que quiser, minha melhor defesa nesse caso será a verdade.

— Agora você está sob a responsabilidade de Mr. Athelney Jones. Ele levará você para minha casa, onde pedirei um relato realista de todos os fatos. Acredito que eu possa provar que o veneno que seu pequeno amigo usou age tão rápido que você nem havia entrado no quarto.

— Foi exatamente isso. Foi um choque e tanto para mim. Podia ter matado Tonga por isso, mas ele escapou deixando para trás seu martelo, que acredito ter sido uma das formas do senhor nos encontrar. Não tenho raiva do senhor por isso. Mas é triste que eu, com direito legítimo a meio milhão de libras, tenha passado metade da vida construindo um píer em Andamã, e agora provavelmente viva a outra metade cavando esgotos em Dartmoor. Esse tesouro só desgraçou as nossas vidas, se você quer saber.

Naquele momento Jones colocou a cabeça para dentro da cabine.

— Pena que não pegamos o outro homem vivo! Você deve admitir, Holmes, quase não pegamos nenhum deles.

— Acabamos bem, mas eu não tinha noção de que Aurora era tão veloz.

— Smith diz que ela é uma das lanchas mais velozes que existem e que, se tivesse outro homem ajudando-o no carvão, vocês nunca nos pegariam. Outra coisa, ele não sabia nada sobre o crime de Norwood. — disse Small.

— Não sabia mesmo, apenas me foi prometida uma boa quantia de dinheiro e um bônus caso alcançassem o navio Esmeralda, com destino ao Brasil. — disse Smith.

— Bem, se ele não fez nada de mal, vamos evitar que algo ruim lhe aconteça. Afinal, prendemos nossos homens com rapidez — disse Jones, pomposo, já se vangloriando dos feitos. — Estamos chegando à ponte de Vauxhall. É aqui que você desce, Watson. Não preciso lhe dizer que estou assumindo um grande risco por você. Esse procedimento é extremamente irregular. Nós temos um combinado, mas ainda assim enviarei um inspetor com você. Você vai de carro, certo?

— Certo!

— É uma pena que você tenha que arrombar a caixa. Você está com a chave, Mr. Small?

— Ela está no fundo do rio.

— Ah, mas você não para de nos dar trabalho, não é mesmo?

Desembarcamos eu, a arca e o inspetor em Vauxhall e partimos para a casa de Cecil Forrester. Ao chegarmos lá, fomos informados de que Mrs. Forrester havia saído, mas Miss Morstan nos esperava na sala de estar. Ao som dos nossos passos, ela se levantou parecendo estar surpresa com nossa visita.

— Ouvi o carro encostar — disse. — Pensei que Mrs. Forrester tivesse chegado mais cedo. Que notícias você traz?

— Trouxe algo mais valioso do que simples notícias — disse eu colocando a caixa sobre a mesa. — Trouxe-lhe uma fortuna.

— É o tesouro? — perguntou com certa frieza.

— Sim! Não é maravilhoso? Metade pertence a você, metade ao seu amigo Thaddeus Sholto! Você se tornará uma das jovens mais ricas da Inglaterra!

— Se o tenho... — ela começou meio desapontada — devo a você.

— Não a mim, mas a meu amigo Sherlock Holmes. Mesmo querendo, eu jamais conseguiria desvendar esse mistério. Meu amigo é um gênio. Quase perdemos os criminosos, mas, no último minuto, conseguimos.

— Por favor, conte-me tudo.

Contei de forma resumida tudo o que havíamos vivido até então. Ela ouviu com muita atenção. Quando contei sobre o dardo que quase havia me atingido, pensei que ela fosse desmaiar.

— Não foi nada — disse ela quando corri para lhe trazer um copo d'água. — É que, para mim, foi um grande choque saber que coloquei os meus amigos em tamanho perigo.

— Tudo já está bem agora. E quanto ao tesouro? Achei que você gostaria de vê-lo, por isso pedi permissão para trazer até você antes mesmo de terminarmos as investigações.

— Tenho interesse.

Ela respondeu com certo ar de constrangimento. Com certeza, não se sentia à vontade sabendo o preço que custou a conquista do tesouro.

— Que caixa linda! Trabalho indiano, eu pressuponho.

— Sim!

— É tão pesada que só a caixa já deve valer uma fortuna. Mas onde está a chave?

— No fundo do Tâmisa. Teremos que abri-la à força.

Começamos a abrir o cadeado, que era no formato de um Buda sentado. O cadeado abriu com um estalo. Com as mãos trêmulas, levantei a tampa. Nós dois ficamos completamente chocados. A caixa estava totalmente vazia!

O peso vinha de sua estrutura extremamente forte e maciça, construída para carregar algo de extremo valor; não havia, contudo, um metal sequer dentro da caixa.

— O tesouro está perdido! — disse Miss Morstan.

Não consigo explicar o alívio que senti ao ver que o tesouro não existia. Poderia ser egoísta da minha parte, mas finalmente a barreira de ouro construída entre mim e Miss Morstan havia sumido.

— Graças a Deus! — exclamei aliviado.

— Por que diz isso?

— Porque você está ao meu alcance novamente. Eu a amo, Mary, mas, por causa das riquezas, dos tesouros, meus lábios estavam fechados com medo de que você pensasse que sou um interesseiro qualquer.

— Então eu também digo: graças a Deus! — enquanto eu a abraçava profundamente.

Certamente naquela noite, se alguém perdeu um tesouro, eu, com certeza, ganhei um.

Capítulo XII
A peculiar história de Jonathan Small

O policial que me acompanhou à casa de Mrs. Forrester era muito paciente, pois demorei para voltar à sua companhia. Seu rosto, no entanto, fechou-se quando viu a arca vazia.

— Então não teremos recompensa! Se não tem dinheiro, não tem pagamento!

— Mr. Thaddeus Sholto é um homem muito rico, ele os recompensará com ou sem tesouro.

O policial balançou a cabeça.

— Isso não é nada bom. Mr. Athelney Jones dirá a mesma coisa.

A sua previsão estava correta. Chegamos à Baker Street e o detetive estava inconsolado com o fato de que não havia tesouro algum.

— Isso é coisa sua, Small! — disse Jones furioso.

— É mesmo! Eu coloquei o tesouro em um lugar em que ninguém poderá pôr as mãos! Aquele tesouro é meu. Já que não posso tê-lo, ninguém o terá! Nenhum homem tem direito a ele, senão eu e os três penitenciários das ilhas

Andamã. Agi por todos nós. Sempre agimos sob o Signo dos Quatro. Prefiro o tesouro no fundo do Tâmisa a estar com qualquer herdeiro de Sholto ou de Morstan! Quando percebi que nos alcançariam, joguei o tesouro no fundo do Tâmisa, e lá está ele com o Tonga e a chave.

— Está tentando nos enganar! Se você fosse jogar, por que não jogaria com a caixa junto? — perguntou Jones.

— Seria mais fácil para vocês encontrarem novamente. Com as jóias espalhadas, vocês não terão como encontrá-las!

— Isto tudo é muito grave! Se você tivesse colaborado para que a justiça fosse feita, isso o ajudaria em seu julgamento.

— Justiça! Bela justiça! A quem pertencia o tesouro senão a nós? Que justiça é essa que me obriga a entregar algo a quem nunca mereceu! Passei anos da minha vida num pântano infestado de doenças, trabalhando por longas horas como escravo, sendo abusado pelos policiais negros que queriam se aproveitar dos brancos. Foi assim que conquistei meu direito ao tesouro de Agra. Prefiro morrer a viver numa cela sabendo que outro homem está desfrutando da fortuna que eu mesmo conquistei!

A máscara de Small havia caído e toda sua fúria brotava pela sua pele e era depositada em nós. Ao ver a fúria daquele homem, compreendi porque o major Sholto ficou tão enlouquecido ao vê-lo na janela.

— Você ainda não nos contou sua história, não temos como dizer se a justiça ficaria mesmo do seu lado. — disse Holmes.

— O senhor está falando comigo de forma gentil, embora eu esteja algemado. Mas não guardo rancor. Se deseja ouvir minha história, assim será, não tenho motivos para escondê-la.

"Nasci em Worcestershire, perto de Pershore. Se você for até lá, com certeza encontrará muitos da família Small. Já pensei em voltar, mas não sou muito bem-visto. Todos da família eram muito tradicionais, iam à igreja, cuidavam de fazendas e prezavam pela família tradicional. Eu sempre fui um pouco instável e fugia aos parâmetros de perfeição da família. Entretanto, aos 18 anos, parei de dar trabalho para eles, pois arrumei uma confusão com uma garota, e o único jeito de me safar era prestar serviços à rainha no terceiro Regimento de Infantaria, que estava partindo para a Índia.

Mas eu era péssimo no trabalho militar. Não tinha disciplina e atenção. Em pouco tempo na Índia, cometi a besteira de ir nadar no Ganges; para minha sorte, o Sargento John Holder estava por perto, senão o crocodilo que devorou minha perna teria me matado ali mesmo. Com o choque e a perda de sangue, desmaiei, mas Holder, que era um excelente nadador, salvou-me. Fiquei cinco meses no hospital e, quando saí, ganhei este pedaço de madeira de presente para o resto da vida. Na condição que me encontrava eu não podia mais servir ao exército.

Como vocês podem perceber, eu não tinha muita sorte na vida. Meu azar, porém, acabou se voltando a meu favor quando conheci Abel White, que resolveu me contratar para cuidar de sua fazenda. A única coisa que eu precisava garantir era que seus homens trabalhassem bem. Abel White era um bom homem e, de vez em quando, nós trocávamos algumas palavras enquanto fumávamos um cachimbo.

Minha maré de sorte acabou quando um grande motim começou na Índia. Do dia para a noite, havia duzentos mil nativos enfurecidos, soltos pelo país, que se tornou um caos. Noite após noite, víamos casas sendo queimadas, pessoas mortas, como vocês devem saber, pois esse episódio que lhes conto está relatado nos livros de história. Mr. White era teimoso e não queria de forma alguma deixar sua propriedade, mesmo sabendo que o perigo era iminente. Um dia, saí para observar uma plantação mais distante; quando voltei, para meu choque, encontrei Mrs. White toda esfaqueada jogada no chão. Seu corpo já havia sido devorado por animais da região. Conforme fui chegando perto, vi Dawson também assassinado de forma brutal e, finalmente, vi uma fumaça preta saindo da casa. Àquela altura, eu sabia que não poderia fazer mais nada senão fugir. Dei meia volta com meu cavalo, ouvia o som de tiros e de gritos dos nativos que se voltaram contra mim, mas consegui fugir pelas plantações que conhecia muito bem; tarde da noite eu estava a salvo dentro dos muros de Agra.

Estava claro que ali não tínhamos muita segurança, uma vez que o país inteiro estava um caos. Por todos os lugares, havia centenas de desesperados fugindo dos milhares enfurecidos. Para onde quer que fosse, as notícias pioravam. Em Agra, havia alguns voluntários que se alistaram para tentar combater os rebeldes, mas era difícil, pois éramos poucos. Não tínhamos muitas chances; assim, nosso comandante decidiu partir para o velho porto de Agra, onde estaríamos mais protegidos pelo enorme rio que passava à frente.

O complexo era grande e nos revezamos na vigia dos portões, enquanto outros manejavam a artilharia para tentar atingir os inimigos. Eu recebi a responsabilidade de ter dois combatentes sob o meu comando. Eu estava orgulhoso, já que eu era apenas um perna de pau. Eles eram altos, de aspecto ameaçador, manejavam bem as armas, só não falavam um inglês muito claro. Nós passávamos longas noites em vigília nos portões, mas os dois não conversavam muito comigo. Prefeririam conversar entre si.

Em uma das noites, eu estava cansado e coloquei meu mosquete de lado; no momento em que encostei minha arma na parede, eles se viraram contra mim com um enorme facão sobre a minha garganta. Entrei em pânico, pensei que os dois poderiam estar mancomunados com os rebeldes. Fui tentar gritar, mas eles logo começaram a falar num tom sereno: 'Não grite, o forte está seguro'. Percebi um tom de sinceridade nas vozes, o que me fez ficar em silêncio para ouvi-los.

O mais alto, cujo nome era Abdullah Khan, disse:

'Você deve escolher entre ficar do nosso lado ou ser calado para sempre: Fique conosco ou passaremos para o lado dos rebeldes e o mataremos agora mesmo'.

'Como posso decidir? Vocês não disseram o que querem de mim? Mas já adianto que, se algo for contra a segurança do forte, não aceitarei'.

'Não é nada contra o forte. Só pedimos para que você fique rico como seus comparsas que vêm para nossas terras. Se vier conosco, um quarto do tesouro será seu'.

'Mas que tesouro? Quero enriquecer tanto quanto vocês, digam-me o que fazer!'

'Então você jura?'

'Juro, desde que o forte não seja colocado em perigo!'

'Então um quarto do tesouro será seu.'

'Mas estamos em três apenas, para quem será a quarta parte?'

'Para nosso camarada Dost Akbar. Contaremos a história toda. Enquanto isso, Maomé Singh ficará no portão. A coisa é a seguinte: existe um homem no Norte muito rico. Quando ficou sabendo sobre o motim, começou a se preparar e quis salvar pelo menos metade de seu tesouro. Ele guardou em uma arca de ferro as pedras mais preciosas que possuía e mandou-a com um criado de sua confiança para o forte de Agra. Eles vão chegar por esse portão. O criado Achmet está acompanhado pelo nosso comparsa Dost Akbar, que sabe do segredo todo. Quando eles chegarem, o mundo não saberá mais de Achmet e nós ficaremos com o tesouro. O que acha?'

'Não gosto da ideia de acabar com uma vida, mas o que posso fazer diante da realidade em que nos encontramos.'

Eu, na verdade, não pensava naquele momento na vida do criado Achmet. Um tesouro me cairia muito bem, pois voltaria para a Inglaterra e poderia fazer grandes coisas com aquela fortuna. Já estava decidido, mas Abdulah Khan, achando que eu desistiria, pressionou-me.

'Diga! Você está conosco mesmo? Se esse homem parar nas mãos do governo, nenhum de nós receberá nada!'

'Estou com vocês de corpo e alma!'

'Muito bem', ele devolveu minha arma e ficamos aguardando pelo irmão e o mercador.

'Seu irmão sabe o que faremos?', perguntei.

'O plano é dele! Vamos para o portão com Maomé Singh!'

Esperamos na chuva por longas horas, quando, de repente, avistamos uma luz vindo de longe.

'Lá vem eles!', exclamei.

'Faça as perguntas de costume e não lhes dê motivo para terem medo.'

Eu via os dois se aproximando com a luz trêmula indicando que estavam com grande pavor.

'Quem se aproxima?'

'Amigos! Viemos em busca de proteção. Meu amigo, o mercador Achmet, precisa ser protegido!'

'O que tem aí com vocês?'

'Uma caixa de ferro com objetos que não têm valor para mais ninguém, mas que meu amigo detestaria perder.'

Eu não aguentava mais estar naquela posição e permiti logo que entrassem. Sentia arrepios em pensar naquele pobre homem sendo morto a sangue frio. De repente, ouvi passos agitados e o som de briga; quando olhei para trás, o homem estava fugindo com seu rosto ensanguentado, mas era seguido por meus comparsas, que sem piedade, enfiaram-lhe o facão nas costas e ele morreu na mesma hora.'

Small parou de falar e pegou o copo de uísque que Holmes havia oferecido a ele. Toda aquela história o deixou extremamente agitado. Eu estava aterrorizado pela tranquilidade com que ele nos contava tudo aquilo. O roubo, o assassinato a sangue frio, toda essa confusão. Fosse qual fosse o castigo que o esperava, da minha parte ele não teria piedade. Small percebeu que estávamos aterrorizados e tentou amenizar sua situação.

— Sei que é terrível tudo isso que lhes conto. Mas era a vida dele ou a minha. Fui ameaçado com um facão no pescoço, não encontrei outras alternativas. Melhor seria ficar rico do que morrer.

— Continue sua história — disse Holmes.

"Bem, Abdullah, Akbar e eu carregamos o homem enquanto Maomé guardava o portão. Jogamos o corpo num lugar escondido onde os meus comparsas já haviam preparado tudo. Lá deixamos Achmet e voltamos para o tesouro.

Ele estava exatamente onde o mercador havia deixado cair. Abrimos a arca e nos deparamos com todas aquelas joias preciosas, rubis, esmeraldas, granadas almandinas, safiras, ônix, ágatas, pérolas, dentre as quais algumas estavam em uma grinalda de ouro. A propósito, quando encontrei o tesouro novamente, a grinalda não estava mais lá. Depois de contarmos nosso tesouro, concordamos em escondê-lo em um lugar seguro, até que o país estivesse novamente em paz. Assim, carregamos a arca para o mesmo lugar onde havíamos escondido o corpo, cavamos um buraco em uma das paredes e a escondemos lá. Marcamos o lugar cuidadosamente. No dia seguinte, eu desenhei mapas para que cada um de nós não se esquecesse do lugar do tesouro e coloquei o signo dos quatro debaixo de cada mapa. Todos juramos que nunca deixaríamos o tesouro nas mãos de ninguém além de nós mesmos.

Como vocês bem sabem a história, nosso país voltou a ter paz depois que os ingleses tomaram o controle novamente. Contudo, nós quatro tivemos nossas esperanças destruídas quando fomos presos pelo assassinato de Achmet.

O homem que confiou as joias a Achmet, por ser muito desconfiado, como é de costume das pessoas no Ocidente, colocou outro homem para espioná-lo. Esse, por sua vez, não podia perder Achmet de vista, mas também não poderia ser visto. Ele o acompanhou naquela noite e o viu passar pelo portão do forte. Na noite seguinte, ele pediu para que fosse protegido também. Só que, ao entrar no forte, não encontrou Achmet em lugar algum. Quando foi ao comandante do forte levar essa informação, deram busca pelo local todo e encontraram o corpo. Nós então fomos condenados; três de nós, pois éramos os responsáveis pelo portão, e o outro, pois estava na companhia da vítima. Os três foram condenados à prisão perpétua com trabalho escravo, e eu, à morte. Depois de um tempo, minha sentença foi revista e fui condenado a cumprir a mesma pena que meus parceiros. Nada se falou sobre o tesouro, o que deixava nossa situação mais estranha ainda. Estávamos condenados, mas sabíamos sobre algo que poderia nos levar a morar em palácios reais.

Era de se consumir por dentro ter que aguentar todos os maus-tratos e a pouca comida que nos era oferecida apenas para vivermos e trabalharmos. Eu podia ter enlouquecido, mas sempre fui teimoso e fui aguentando dando tempo ao tempo.

Por fim, chegou a minha oportunidade. Fomos transferidos para Madras, e de lá para a ilha Blair, no arquipélago de Andamã. Havia pouquíssimos presos brancos lá, o que me fez conseguir certos privilégios. Recebi uma cabana para viver que era praticamente minha. Aquele lugar era horrível, cheio de canibais nativos; havia muito a se fazer, cavar, plantar e construir. À noite, eu conseguia um tempinho para nós. Entre muitas outras coisas, aprendi muito com o médico local, Dr. Somerton. Tentei fugir várias vezes, mas a ilha era longe das outras e ventava pouquíssimo naqueles mares.

O médico, Dr. Somerton, era um senhor alegre e gostava de jogar. À noite, muitos oficiais se reuniam em seu quarto e riam ao ficarem jogando. Entre eles estava o major Sholto, o capitão Morstan e outros três funcionários da prisão, que eram verdadeiras raposas.

Fui percebendo que os oficiais sempre perdiam, enquanto os funcionários sempre ganhavam. Não digo que houvesse trapaça, mas, enquanto os oficiais só iam para se divertir, os funcionários estavam prontos para ganhar. O major Sholto era o que mais perdia, e cada vez suas dívidas aumentavam. Durante o dia, ele vivia vagando bêbado pela ilha e, à noite, caía na jogatina.

Uma noite, o major passou segurado pelo seu amigo fiel, capitão Morstan. Ele havia perdido muito e estava desolado dizendo que deveria deixar o exército. Isso foi tudo que ouvi, mas foi suficiente para me dar uma ideia.

No dia seguinte, procurei o major Sholto e perguntei a ele a quem eu poderia confiar o segredo de onde estava meio milhão de libras, para ver se, dessa forma, eu conseguiria rever minha sentença.

'Meio milhão, Small?', perguntou-me chocado.

'Mais ou menos isso em pedras preciosas. E o melhor, o único que poderia reclamá-lo já não pode mais. Então pertence ao primeiro que encontrá-lo!'

'Pertence ao governo! Ao governo', exclamou relutante.

'Você acha que devo informar o Governador Geral?'

'Não faça nada, conte-me essa história e vou pensar!'

Contei-lhe tudo, mudando alguns fatos, para que ele não pudesse ter clareza quanto ao local do tesouro. Ele me pediu que aguardasse, pois em alguns dias me procuraria com uma resposta. Na noite seguinte, ele e o capitão Morstan apareceram em minha cabana.

'Quero que o capitão Morstan fique a par da história!', disse o major.

Eu repeti a história e os dois acharam que parecia ser verdade e que, portanto, valeria a pena fazermos algo a respeito.

'Ouça, Small, eu e meu amigo conversamos e entendemos que seu assunto é particular e não diz respeito ao governo. Agora a pergunta é: o que você quer em troca?'

'É muito claro o que quero em troca: liberdade para mim e para os meus amigos. Se vocês conseguirem isso, posso lhes dar um quinto do tesouro.'

'Não parece muito tentador e você sabe que o que nos pede é impossível.'

'Nem tanto, o único empecilho é que não temos um barco; arrumem-nos um que fugiremos rapidamente.'

'Se fosse apenas um de vocês, seria mais fácil.'

'Os quatro ou nenhum, esse é o nosso juramento.'

'Bem, Small, vejo que você é um homem de palavra. Diga-nos onde está o tesouro que verificaremos e voltaremos para buscá-los.'

A ganância em seus olhos estava me deixando louco. Disse a ele que precisaria do consentimento dos meus parceiros para lhe passar essa informação.

'Que bobagem!', exclamou o major, 'o que esses três negros têm a ver com o nosso acordo?'

'Negros ou azuis, estamos juntos nessa!'

O negócio terminou com uma reunião, na qual estavam presentes Maomé Singh, Abdullah Khan e Dost Akbar. Decidimos dar os mapas aos oficiais, e Sholto iria verificar a veracidade do tesouro, enquanto o capitão Morstan esperaria conosco até que Sholto voltasse e pudéssemos dividir o tesouro igualmente.

Para resumir a história, o canalha do Sholto nunca voltou. O capitão Morstan mostrou-me seu nome em uma lista dizendo que ele havia deixado o exército. Pouco tempo depois, Morstan foi até Agra e descobriu que o tesouro havia sumido. Daquele dia em diante, vivi planejando a minha vingança contra Sholto. O tesouro já não me importava mais, fiquei apenas aguardando a minha oportunidade de me vingar.

Anos depois, eu, teimoso como já disse que sou, consegui conquistar a minha liberdade quando o Dr. Somerton, com quem aprendi muito, estava com malária e não podia tratar um nativo que foi achado muito doente devido à picada de uma cobra venenosa. Eu o tratei e consegui curá-lo completamente. Ele se tornou eternamente fiel a mim, seu nome era Tonga.

Tonga era um ótimo marujo e tinha sua própria canoa. Quando percebi que ele era totalmente fiel a mim, vi a chance de fugir. Compartilhei minha ideia com Tonga, que aceitou na hora. Combinamos tudo e decidimos a noite em que partiríamos. Na noite combinada, lá estava ele, com tudo pronto. Nós fugimos, foram muitas aventuras e muitas vezes ficamos à beira da morte. Mas, depois de meses navegando, fomos salvos por um navio cargueiro de Cingapura, e depois de muito vagar pelos mares, chegamos à Inglaterra, há uns quatro ou cinco anos.

Eu não havia parado de pensar em Sholto, por um minuto sequer, eu queria vingança. Fiz amizade com quem poderia me ajudar, não vou citar nomes, pois não quero prejudicar ninguém. Logo soube que o major estava com as joias. Tentei chegar nele de várias formas, mas ele estava sempre guardado por homens fortes.

Quando descobri que estava em seu leito de morte, corri para tentar encontrá-lo. Quando cheguei lá e olhei pela janela, vi que logo depois ele morreu. Naquela noite, vasculhei todo o quarto em busca do que era meu, mas não pude encontrar nada. A única coisa que passou pela minha mente foi deixar um bilhete com o símbolo do Signo dos Quatro para que, pelo menos em seu leito de morte, ele fosse marcado pelos homens que traíra.

Na época, ganhamos a vida exibindo Tonga em circos e *shows* como o "Canibal Negro": ele comia carne crua e fazia sua dança de guerra. Ainda me chegavam algumas novidades sobre a Mansão Pondicherry, quando finalmente chegou a mais esperada, a de que haviam achado o tesouro. Fui imediatamente examinar o local para ver como poderíamos pegar o tesouro. A única tristeza foi que, ao bolar nosso plano, não imaginamos que Bartholomew Sholto estaria no quarto. Aí tudo aconteceu como vocês bem sabem.

Não tenho mais nada para contar, o resto aconteceu assim: descobri sobre a velocidade de Aurora, e pensei que ela seria útil na fuga. Contratei o velho Smith. Ele sabia que havia algo de errado, mas não com detalhes. Bom, essa é a minha história completa, e acredito que a melhor forma de me vingar é contar para o mundo todo como o major Sholto me traiu e que eu não sou o responsável pela morte de seu filho."

— É uma história e tanto! — disse Holmes.

— Existe mais alguma coisa que o senhor quer saber?

— Acredito que não, obrigado — respondeu meu amigo.

— Bem, Holmes, creio que agora seja o meu dever prender o nosso amigo aqui. O carro ainda está lá fora e tenho dois policiais me aguardando. Boa noite!

— Boa noite, senhores — disse Jonathan Small.

— Venha, Small, você primeiro.

— Bem, nosso drama chegou ao fim e acho que este foi o último caso que acompanhei, já que Miss Morstan aceitou meu pedido de casamento.

Holmes pareceu desapontado com a novidade.

— Era o que eu temia. Não quero parabenizá-lo por me abandonar.

— Qual a razão de você não ficar feliz com a minha felicidade? — perguntei magoado.

— Nenhuma. Só que casamento é uma coisa emocional. E tudo que é emocional se opõe à razão, que, por sua vez, é superior a tudo. Eu mesmo nunca vou me casar.

— Acredito — respondi rindo –, mas agora você me parece cansado.

— E estou, agora que a adrenalina passou, ficarei um trapo esta semana.

— O que me parece injusto. Você tem todo o trabalho, Jones fica com o crédito, eu com a esposa. O que sobra para você?

— O violino — disse Sherlock Holmes enquanto pegava seu instrumento e se punha a tocá-lo.

Sir Arthur Conan Doyle (1859-1930)

Arthur Conan Doyle era de família escocesa, respeitada no ramo das artes. Aos nove anos, foi estudar em Londres. No internato, era vítima de *bullying* e dos maus-tratos da instituição. Encontrou consolo na literatura e rapidamente conquistou um público composto por estudantes mais jovens.

Quando terminou o colégio, decidiu estudar medicina na Universidade de Edimburgo. Lá, conheceu o professor Dr. Joseph Bell, quem o inspirou a criar seu mais famoso personagem, o detetive Sherlock Holmes. Em 1890, no romance *Um Estudo em Vermelho*, iniciou a saga de aventuras do detetive. Ao todo, Holmes e seu assistente, Watson, foram protagonistas de 60 histórias.

Doyle casou-se duas vezes. Sua primeira esposa, Luisa Hawkins, com quem teve uma menina e um menino, faleceu de tuberculose. Com Jean Leckie casou-se em 1907 e teve três filhos.

Abandonou a medicina para dedicar-se à carreira de escritor. Seus livros mais populares de Sherlock Holmes foram: *O Signo dos Quatro* (1890), *As Aventuras de Sherlock Holmes* (1892), *As Memórias de Sherlock Holmes* (1894) e *O Cão dos Baskervilles* (1901). Em 1928, Doyle publicou as últimas doze histórias sobre o detetive em uma coletânea chamada *O Arquivo Secreto de Sherlock Holmes*.

Todos os direitos desta edição
reservados para Editora Pé da Letra
www.editorapedaletra.com.br

© A&A Studio de Criação — 2017

Direção editorial	James Misse
Edição	Andressa Maltese
Ilustração	Leonardo Malavazzi
Tradução e adaptação	Gabriela Bauerfeldt
Revisão de Texto	Nilce Bechara
	Marcelo Montoza

DCIP-BRASIL. CATALOGAÇÃO-NA-FONTE
SINDICATO NACIONAL DOS EDITORES DE LIVROS, RJ

D784c
Doyle, Arthur Conan
 O signo dos quatro / Arthur Conan Doyle ; tradução Gabriela Bauerfeldt. - 1. ed. - Cotia, SP : Pé da Letra, 2017.
 : il.

Tradução de: The sign of the four
ISBN 978-85-9520-079-1

 1. Romance infantojuvenil escocês. I. Bauerfeldt, Gabriela. II. Título.

17-46496	CDD: 028.5
	CDU: 087.5